KURA SHIKI

prefectures. The guidebooks will be composed, researched, and

- If something or some service is wonderful, but not without

登録
商標
大手
饅頭
岡山市橋本町
本家伊部屋製

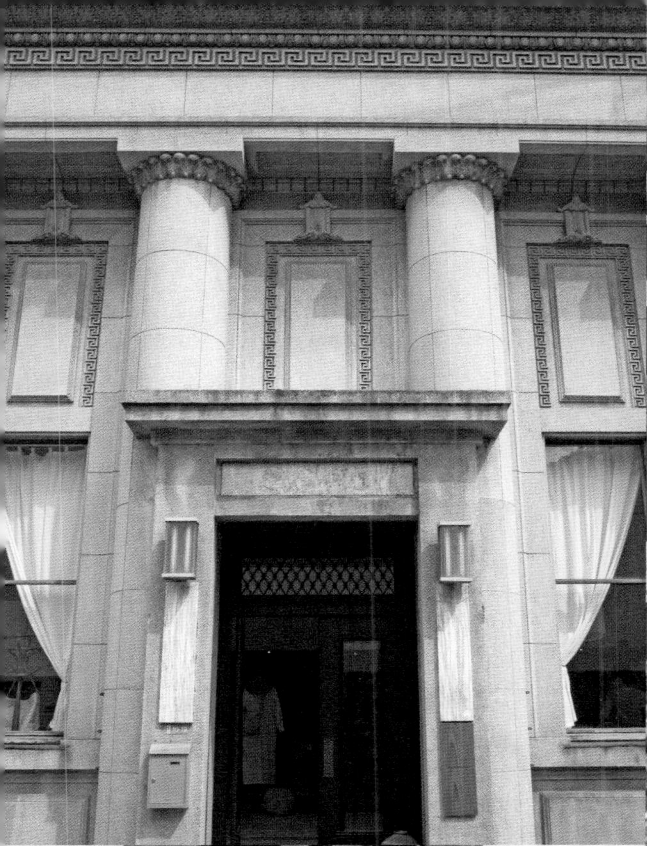

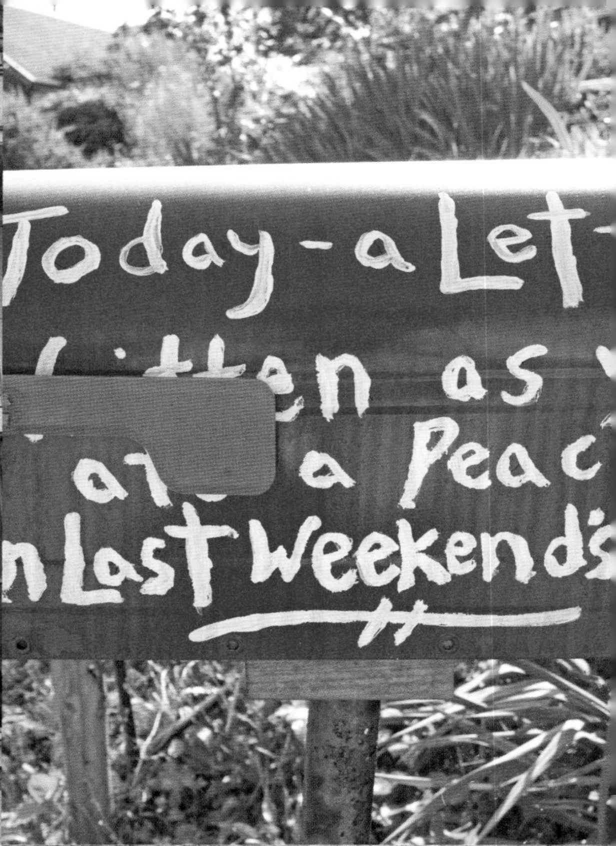
Today-a Let
itten as
a Peac
n Last Weekend's

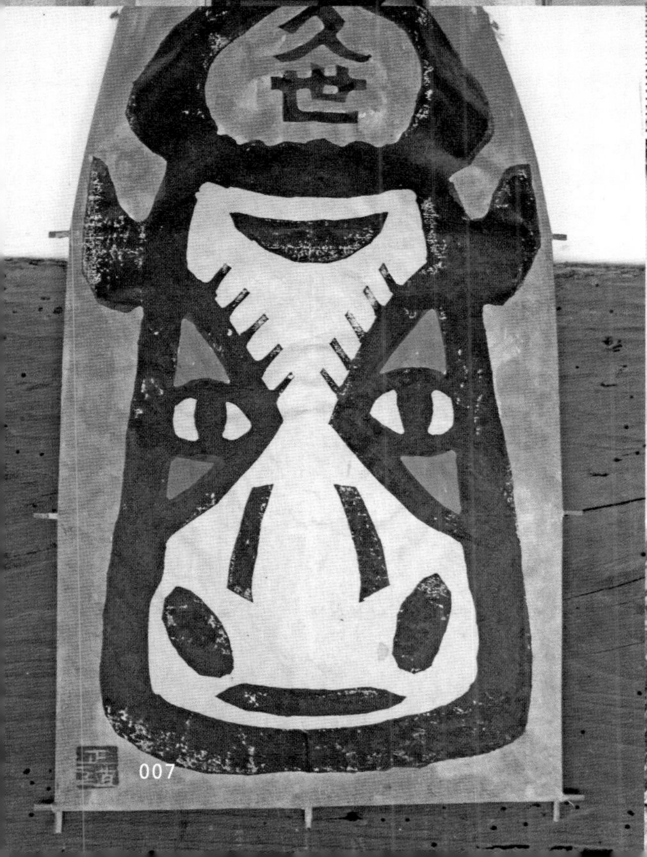
久世

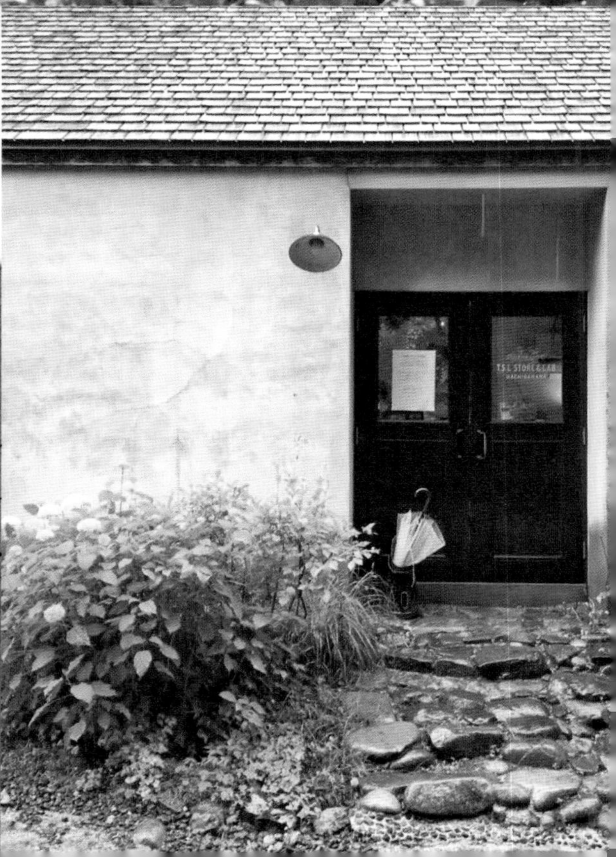

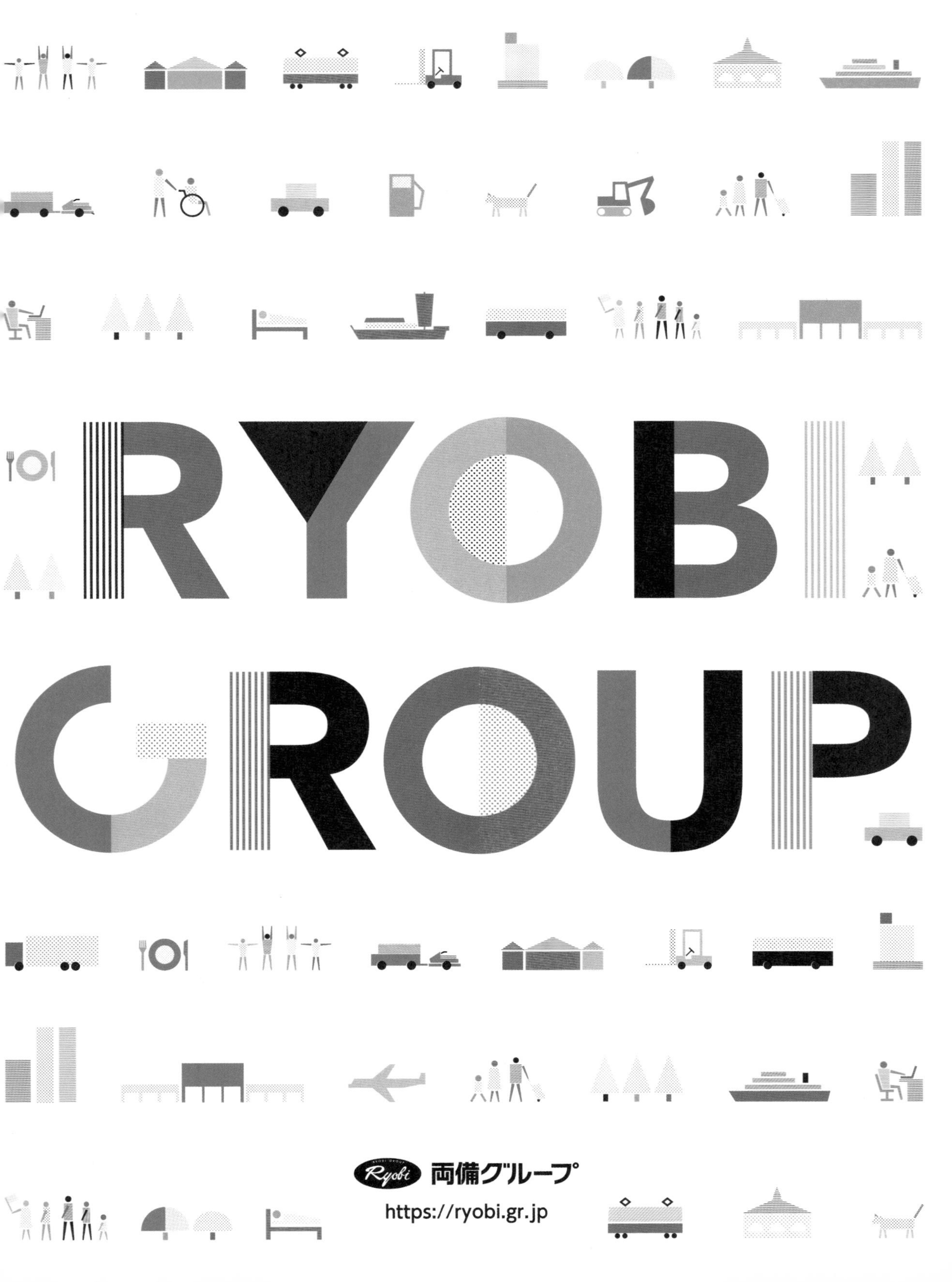

RYOBI GROUP
Ryobi
両備グループ
https://ryobi.gr.jp

岡山号 目次

CONTENTS

BREA
李朝

神道

SHINTOZAN

Kibitsuhiko Shrine

KIBI NO NAKAYAMA

Kibitsu Shrine

KIBI NO NAKAYAMA

KIBI NO NAKAYAMA

Kurozumikyo Daikyoden

Okayama Prefectural Ancient Kibi Cultural Properties Center

Marukoto Center

KIBI NO NAKAYAMA

d design travel OKAYAMA
TRAVEL MAP

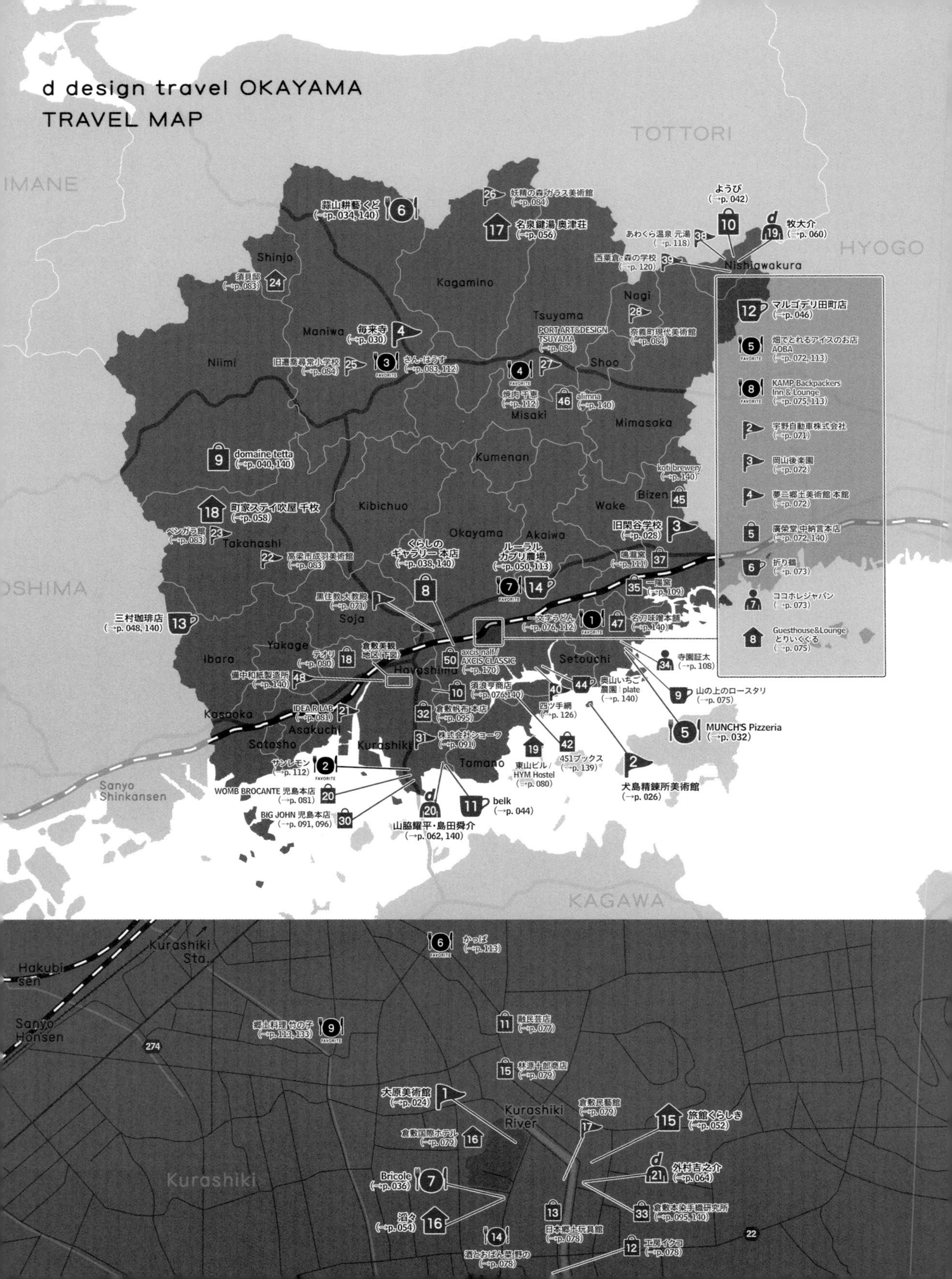

TOTTORI
SHIMANE
HYOGO
HIROSHIMA
KAGAWA

蒜山耕藝 くど 6 (→p. 034, 140)
26 妖精の森ガラス美術館 (→p. 084)
17 名泉鍵湯 奥津荘 (→p. 056)
ようび (→p. 042) 10
牧大介 (→p. 060) 19
あわくら温泉 元湯 (→p. 118) 38
西粟倉・森の学校 (→p. 120) 39
Nishiawakura
Shinjo
須貝邸 (→p. 083) 24
Kagamino
Nagi
28 奈義町現代美術館 (→p. 084)
Tsuyama
PORT ART&DESIGN TSUYAMA (→p. 084)
Maniwa
毎来寺 (→p. 030) 4
Niimi
旧遷喬尋常小学校 (→p. 084) 25
3 さん・はうす (→p. 083, 112)
4 焼肉 千恵 (→p. 112)
27
Shoo
46 alimna (→p. 140)
Misaki
Mimasaka
9 domaine tetta (→p. 040, 140)
Kumenan
koti brewery (→p. 140)
Bizen 45
Kibichuo
Wake
18 町家ステイ吹屋 千枚 (→p. 058)
ベンガラ館 (→p. 083) 23
Takahashi
Okayama
Akaiwa
旧閑谷学校 (→p. 028) 3
22 高梁市成羽美術館 (→p. 083)
くらしのギャラリー 本店 (→p. 038, 140) 8
ルーラルカプリ農場 (→p. 050, 113) 7 14
鳴瀧窯 (→p. 111) 37
35 一陽窯 (→p. 109)
黒住教大教殿 (→p. 071) 1
三村珈琲店 (→p. 048, 140) 13
Soja
一文字うどん (→p. 076, 112) 1
47 名刀味噌本舗 (→p. 140)
Yakage
テオリ (→p. 080) 18
倉敷美観地区(下図)
50 axcis nalf / AXCIS CLASSIC (→p. 170)
Ibara
Setouchi
34 寺園証太 (→p. 108)
備中和紙製造所 (→p. 140) 48
Hayashima
44 奥山いちご農園 | plate (→p. 140)
40
9 山の上のロースタリ (→p. 075)
10 須浪亨商店 (→p. 076, 140)
四ツ手網 (→p. 126)
Kasaoka
IDEA R LAB (→p. 081) 21
32 倉敷帆布 本店 (→p. 095)
5 MUNCH'S Pizzeria (→p. 032)
Asakuchi
Satosho
Kurashiki
31 株式会社ショーワ (→p. 091)
19 東山ビル / HYM Hostel (→p. 080)
42 451ブックス (→p. 139)
サンレモン (→p. 112) 2
Tamano
2 犬島精錬所美術館 (→p. 026)
WOMB BROCANTE 児島本店 (→p. 081) 20
20 山脇耀平・島田舜介 (→p. 062, 140)
11 belk (→p. 044)
BIG JOHN 児島本店 (→p. 091, 096) 30
Sanyo Shinkansen

12 マルゴデリ田町店 (→p. 046)
5 畑でとれるアイスのお店 AOBA (→p. 072, 113)
8 KAMP Backpackers Inn & Lounge (→p. 075, 113)
2 宇野自動車株式会社 (→p. 071)
3 岡山後楽園 (→p. 072)
4 夢二郷土美術館 本館 (→p. 072)
5 廣榮堂 中納言本店 (→p. 072, 140)
6 折り鶴 (→p. 073)
7 ココホレジャパン (→p. 073)
8 Guesthouse&Lounge とりいくぐる (→p. 075)

FAVORITE

Kurashiki Sta.
Hakubi sen
Sanyo Honsen
274
6 かっぱ (→p. 113)
11 融民芸店 (→p. 077)
郷土料理 竹の子 (→p. 113, 133) 9
15 林源十郎商店 (→p. 079)
大原美術館 (→p. 024) 1
Kurashiki River
倉敷民藝館 (→p. 079) 17
15 旅館くらしき (→p. 052)
倉敷国際ホテル (→p. 079) 16
Kurashiki
21 外村吉之介 (→p. 064)
Bricole (→p. 036) 7
33 倉敷本染手織研究所 (→p. 095, 140)
滔々 (→p. 054) 16
13 日本郷土玩具館 (→p. 078)
14 酒とおばんざい 野の (→p. 078)
12 工房イクコ (→p. 078)
22

d MARK REVIEW OKAYAMA

SIGHTS

RESTAURANTS

SHOPS

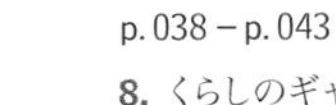

CAFES

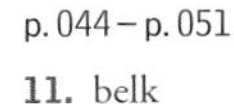

HOTELS

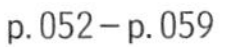

PEOPLE

大原美術館

岡山県倉敷市中央 1-1-15
Tel: 086-422-0005
9時〜17時（入館は16時30分まで）
月曜休（祝日の場合は開館）、年末休
ohara.or.jp
倉敷駅から徒歩約15分

1. 倉敷の実業家・大原孫三郎が設立した日本最初の西洋近代美術館。

1930年設立。薬師寺主計設計の倉敷美観地区の代表的な建築。

2. 米蔵を改装し、芹沢銈介がデザインした「工芸・東洋館」。

濱田庄司、バーナード・リーチ、富本憲吉、河井寛次郎、棟方志功、芹沢銈介、そして、児島虎次郎の蒐集を中心とした東洋の古代美術品を展示。

3. 大原家の別邸「有隣荘」を特別公開し、現代美術作家の展覧会を開催。

児島虎次郎の旧アトリエでは、アーティスト・イン・レジデンスなども。

美観地区のパトロン　今でも住民が一丸となり、美しいデザインの町並みを保っている「倉敷美観地区」。そんな町の歴史において欠かせないのが、大原家の存在。1888年、「倉敷紡績（クラボウ）」の設立に資金協力した実業家・大原孝四郎。一方で息子の孫三郎も、岡山孤児院の支援をはじめ、さまざまな社会事業に取り組んでいった。そして1902年、孫三郎は、大原家の奨学生となった画家・児島虎次郎と出会う。虎次郎は、東京美術学校をわずか二年で卒業。1908年、ヨーロッパ留学中に、アマン・ジャンの『髪』（「大原美術館」最初のコレクション）を購入し、1919年、2度目の留学中には、さらなる美術作品の収集活動を願い出た。彼には、日本の芸術界のために、という強い意図があった。まだ「美術館」という概念のなかった日本にとって、倉敷に「大原美術館」が誕生したことは、画期的なことだったと思う。自分のためではなく、町のために何かできないか——この地域ならではの気質は、孫三郎のあとも長男・總一郎に受け継がれ、民藝運動に関わる作家の作品などを蒐集した「工芸館」などを増設していく。ヨーロッパの歴史的都市のように倉敷の町並みを残していきたい、と彼らは生前語っていたという。それが今も美観地区の有志に託されている。大原家の偉業は、日本が成長していくための奉仕活動で、これだけ蓄積した文化があることを、観光地としても広く知らしめる必要があるのだ。（神藤秀人）

Ohara Museum of Art

1. Japan's first Western-style museum of modern art, established by Kurashiki businessman Magosaburo Ohara

2. Craft Art Gallery and Asian Art Gallery built in a renovated rice warehouse and designed by Keisuke Serizawa

3. The Yurinso (Ohara family villa) is opened to public viewing specially for exhibitions by contemporary artists

Magosaburo Ohara met student painter Torajiro Kojima in 1902. Kojima graduated from university in just two years and, in 1908, studied in Europe where he purchased Edmond Aman-Jean's painting *Hair*. During his trip in 1919, he asked permission to collect more artwork. Ohara had a strong desire to bolster the Japanese art world, and he established his museum in an era when the concept of a museum did not exist in Japan.

Magosaburo Ohara created the museum for the town's sake. His strong drive was inherited by his eldest son and successor, Soichiro, who added the Craft Art Gallery to store works created through the *mingei* traditional crafts movement. The accomplishments of the Oharas were for the sake of Japan's advancement. This museum deserves to be known not only as a tourist attraction, but as a valuable center of culture. (Hideto Shindo)

2

犬島精錬所美術館

岡山県岡山市東区犬島 327-4
Tel: 086-947-1112
9時～16時30分（入館は16時まで）
火曜休（祝日の場合は翌日休。メンテナンス休館あり、公式ホームページ要確認）
benesse-artsite.jp/art/seirensho.html
宝伝港から船で約10分

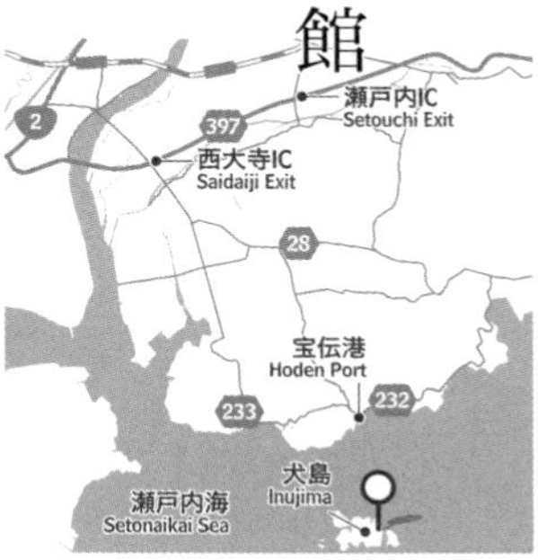

1. 犬島に残る銅製錬所の遺構を保存・再生した美術館。

小説家・三島由紀夫をモチーフにした、柳幸典氏の作品。
カラミ煉瓦など、工場跡の遺構を活用した
三分一博志氏による建築。

2. 近代化産業遺産の遺構の中を見学できる。

妹島和世建築の島の民家を再生した「犬島『家プロジェクト』」や、
「犬島 くらしの植物園」など、犬島ならではの観光。

3. 太陽や地中熱などの自然エネルギーを利用した施設。

植物の力を利用した高度な水質浄化システムを導入し、
環境調査を行なうなど、自然に配慮した環境づくりがある。

犬島の未来の遺産　瀬戸内海に浮かぶ犬島は、古くから銅の製錬業と採石業などで栄えた島だった。まだ電気などのインフラが整備されていない頃、発電所もあった犬島だけは、昼も夜も賑やかだったという。現代では、２０１０年に始まった「瀬戸内国際芸術祭」でも、岡山県唯一の島の会場ということで、若者や外国人観光客にも人気の島だ。「犬島精錬所美術館」は、アーティスト・柳幸典氏によって構想され、２００８年に完成。建築は、三分一博志氏で、島本来の地形や近代化産業遺産の製錬工場跡をできるだけそのまま活かし、自然エネルギーを活用している。美術館に入ると、真っ暗な闇が広がる。足元に気をつけながら光の方へ向かって進む。館内の明かりは、外光を取り入れ、空調設備はなく、直接太陽熱が室温に反映される造り。トイレなどの水回りは、植物の力を借りた高度な水質浄化システムを利用し、年間を通して柑橘類を栽培（カフェなどでいただける）、屋上緑化にも繋がっている。かつて人類が変えてしまった自然環境は、そのままでは先人の栄光に紛れて歴史の一ページに刻まれる。だからこそこの美術館は、犬島という環境の自然サイクルの一部として変わらなければならない。ただの産業遺産跡にできた美術館ではなく、犬島とともに再び未来を歩もうという考え方が根底にある。スタッフの丁寧な解説の後、美術館を出て、近代化産業遺産の工場跡を巡った。慢心せず、変化・成長する美術館。（神藤秀人）

Inujima Seirensho Art Museum

1. Museum preserving a remodeled copper refinery on Inujima Island
2. Visitors can see inside a designated Industrial Modernization Heritage site
3. Uses natural energy sources, including solar and geothermal energy

Inujima Island - in the Setonaikai Sea- has a rich history of copper smelting and quarrying. As the only island in Okayama involved in the Setouchi Triennale art event, it attracts many tourists both domestically and internationally. The museum, completed in 2008, was the idea of Artist Yukinori Yanagi. Architect Hiroshi Sambuichi, designed the museum architecture to preserve the existing topography and structure of the old factory. It uses natural energy sources, such as sunlight for lighting and heating, and a plant-based filter to supply water for restrooms and growing citrus (served at the café) year-round as part of a green roof. The museum not only preserves an Industrial Modernization Heritage site, but also seeks to find a future with Inujima by continuing to adapt and grow into the island's natural environment. (Hideto Shindo)

上 / Inujima Seirensho Art Museum Photo：Daici Ano　中央右下 / Inujima Ticket Center Photo：Yoshikazu Inoue　右下 / Yukinori Yanagi "Hero Dry Cell/Icarus Tower" (2008) Photo：Daici Ano

3

旧閑谷学校

岡山県備前市閑谷 784
Tel: 0869-67-1436（史跡受付）
9時～17時
12月29日～31日休
shizutani.jp
和気ICから車で約5分

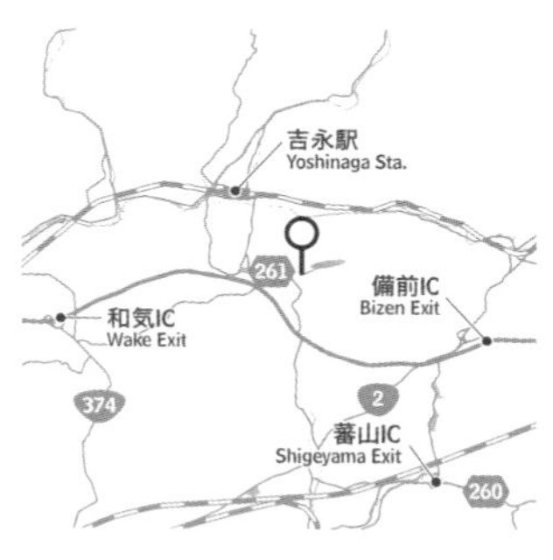

1. 1701年完成。特別史跡であり日本遺産の岡山県随一の学校。

建物は、国宝の講堂をはじめ、国の重要文化財が25件。初代岡山藩主・池田光政の指示のもと、津田永忠によって建設。

2. 備前焼の瓦を用いた入母屋造りのデザイン建築「講堂」。

敷地を囲うかまぼこ型の石塀や、花頭窓、拭き漆の床など、随所にデザインの工夫が見られる。

3. 現存する世界最古の、庶民のための教育施設。

論語学習を中心とした「閑谷論語塾」など、今も現役、地域に開かれた場所。

史跡で学ぼう「晴れの国」ともいわれ、自然災害も比較的少なく、義務教育抜きでも、立派に子どもは育つだろう。と、僕は、東京から移住した知人を介して、そう思った。また、岡山県は人口に対して、医師の数が多い県ベスト3で、勤勉な県民性だなぁ、とも思う。その理由は、やっぱりこの「閑谷学校」のように、勉強でも遊びでも、恵まれた環境があるということが影響しているようにも感じ、それは僕の見てきた岡山県ならではの気質なのかもしれない。1670年、江戸時代前期に初代岡山藩主・池田光政によって開かれた庶民のための学校。国宝の「講堂」をはじめ、「聖廟」や「閑谷神社」など、ほとんどの建造物が国の重要文化財だ。学房跡に建てられた「私立中学閑谷黌」の本館部分を利用した資料館（登録有形文化財）では、閑谷学校の歴史や当時の授業の様子、建物のデザインについてなどを詳しく紹介している。特に注目してほしいのが、それぞれの建物の構造や建材。300年以上もびくともせずに残っているのには、理由もある。敷地を囲むかまぼこ型の石塀から、この土地で焼かれる堅牢な「備前焼」の瓦屋根、巨大な一枚板からできた花頭窓、生徒たちによって磨かれる拭き漆の床など、随所に当時の教育にかける思いが伝わってくる。絵画のように美しい校庭に立ち、池田光政公は、子どもたちに何を願ったのか――国づくりは人づくり。彼が思い描いてきたことは、きっと今もこれからも続いていく。（神藤秀人）

Former Shizutani School

1. Completed in 1701, this school is designated as a Special Historic Site and a Japan Heritage
2. The lecture hall's architectural design features a hip-and-gable roof with Bizen-ware tiles
3. World's oldest education facility built for the common people that still exists today

Even when considerations of education are set aside, Okayama is a great place to raise children due to its diverse natural splendor, great weather and relative lack of natural disasters.
In 1670, Okayama-area domain lord Ikeda Mitsumasa founded a school for commoners here, and today most of its buildings are nationally designated as Important Cultural Properties. The museum now occupying the former school building introduces not only the history but also the design of the school. The building (a Tangible Cultural Property) structures and materials, which have remained intact for more than 300 years, include sturdy rock walls, Bizen-ware roof tiles and lacquered floors. Ikeda wrote that fostering a nation means fostering its people, and this philosophy will surely remain a part of Okayama's education into the future. (Hideto Shindo)

4

毎来寺

岡山県真庭市目木 1001
Tel: 0867-42-0932
9時〜17時
無休（要予約）
久世ICから車で約5分

1. 襖や屏風、天井までにも版画が飾られる異彩の寺。

真庭市の「樫西和紙」や、鳥取県の「因州和紙」に摺る独自の版画作品。別名「版画寺」。美術館のようにアートな空間。

2. 住職の岩垣正道さん自身が版画家。

久世や倉敷、備前焼、倉敷ガラスなどモチーフは無限。「因州中井窯」や「出西窯」をはじめ、イサム・ノグチやバーナード・リーチなどの作品を模したポスターシリーズ。

3. カレー店や焼き肉店など、県内各地で出会う版画作品。

カレー店「さん・はうす」の店の壁や箸袋にも版画。真庭市の「旧遷喬尋常小学校」や、岡山市の「AXCIS」などで個展を開催。

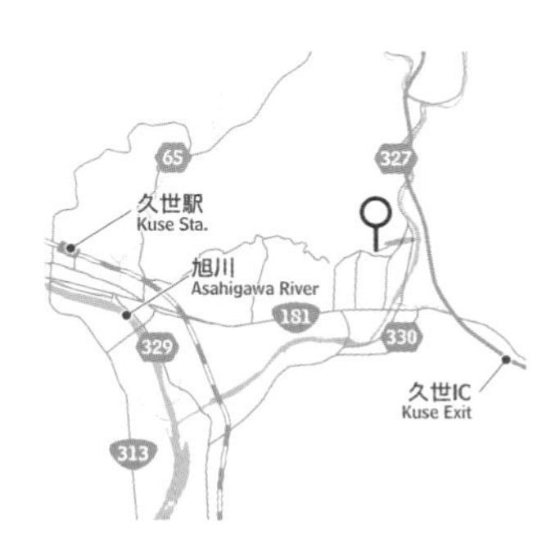

毎日来たい、版画寺　倉敷で、い草で籠を編んでいる「須浪亭商店」の工房にお邪魔した際、壁に掛かっていた『籠』を描いた版画が気になった。訊くとそれは「版画寺（毎来寺）」で摺っていただいたという。決してアート作品でもなく、かっちりしたデザイン画でもなく、どこか素朴な表情が素敵だった。真庭市にある「毎来寺」は曹洞宗の寺院。普段、正門が開いていないのも、この寺ならではで、横の通用口にあるインターホンを鳴らして住職を呼ぶ。襖や屏風、格天井、ありとあらゆる所まで版画。しかもその全てが住職自身の作品で、部屋ごとにあるイサム・ノグチの「AKARI」がより作品を際立たせている。正門を閉めていたのは、カーテン自体も住職の絵画作品の一つで、外光を柔らかく拡散させる照明のようでまた良い。中には、「備前焼」や「倉敷ガラス」などのモチーフも見られ、いつ行っても楽しい空間。現住職の岩垣正道さんは、鳥取県の実家を出て、1976年に「毎来寺」に入山。当時は、無住の〝荒れ寺〟で、本堂の屋根には草や木が生え、土塀には穴も空いていた。そんな寺を救ったのが、独学で始めた版画。最初は、『般若心経』を彫り、そして道元禅師の和歌と、少しずつ版画作品も増え、次第に人も集まり始めたという。今では寺からも飛び出し、県内だけではなく、ニューヨークでも個展を開くほど。御朱印に書かれる「摺佛庵」の文字には、僧侶としてだけでなく、つくり手としての思いも込められている。（神藤秀人）

Mairai-ji

1. **Singular temple adorned with woodblock prints from doors, folding screens and all the way up to the ceiling**
2. **Head Priest Shodo Iwagaki is the woodblock print artist**
3. **Iwagaki's prints can be found at curry shops, *yakiniku* restaurants and other places throughout the prefecture**

Mairai-ji is a Soto-sect Buddhist temple in Maniwa City. Inside, it's completely filled with decorative *fusuma* papered doors, folding screens and woodblock prints—all by Head Priest Shodo Iwagaki! These are further accented by Isamu Noguchi *AKARI* light sculptures in each room. The interior is decorated with Bizen ware and Kurashiki Glass. In 1976, Iwagaki left his original home in Tottori Prefecture to work at Mairai-ji, which was abandoned with no presiding priest. The main hall was overgrown with vegetation, the earthen walls filled with holes. To breathe life back into the temple, Iwagaki began making prints, adorning his first works with religious text and poetry. As his pieces increased, temple visitors numbers grew as well. Today, he exhibits his prints in Okayama and elsewhere—even faraway places such as New York. (Hideto Shindo)

MUNCH'S Pizzeria

岡山県瀬戸内市牛窓町牛窓 4390-1
Tel: 090-3881-7425
11時〜20時
火〜金曜休、他不定休
www3.hp-ez.com/hp/munchs
邑久IC から車で約10分

1. 備前焼作家・寺園証太さんの器を惜しまず、若々しく、使うピザ屋。

イームズが並ぶデザイン空間に、水差しや取り皿、
カップやピザプレートまで、全てが「備前焼」。
カップやリム皿は購入でき、工房巡りのきっかけにも。

2. 牡蠣やイカナゴなど、岡山ならではのピザ。

定番メニューは基本なし。野菜は「ワッカファーム」や「風の谷」、
チーズは、蒜山の「ラッテバンビーノ」。猪や鹿のジビエや、
たまに、フルーツ（店主の気まぐれなので要相談）。

3.「京橋朝市」や「フィールドオブクラフト倉敷」に出店。

2012年、津山を拠点に移動販売をスタート。

備前焼ギャラリー的ピザ屋　牛窓町にある「MUNCH'S Pizzeria」は、ピザ窯のある本格ピッツェリアなのだが、ピザ屋というには表現しきれない魅力のある場所。牛窓町は、江戸時代から潮待ちをする休憩地として活発に人の行き来があったそうで、海沿いの「唐琴通り」には商人が建てた立派な家屋が多く残っている。豊かな自然と、町の雰囲気に惹かれて移住する作り手も多いそうだ。津山市からこの地に移住してきた丸王弘貴・栄子さん夫婦は、キッチンカーで街中やイベントでピザの販売をしていたのが、備前焼作家・寺園証太さん一家との出会いから、この地で店舗営業を始めることになった。自家製酵母で作る生地に、その季節に手に入る新鮮な具材で彩られるピザは、無論頬が緩む美味しさだったが、それと同じくらいに、備前焼でコーディネートされた食卓そのものに感激した。食後、店内であれが欲しい、などと話していると、すかさず英子さんは、寺園さんに連絡をしてくださり、工房でもお皿を購入できるから、と取り次いでいただいた。工房見学をさせていただいて、もちろん、自宅で使えそうなサイズの作品を見繕って購入。思い返してみても、やはり彼らの店は単なる飲食店とは思えず、近隣の「匙屋」「御茶屋跡」などのギャラリースペースと通ずる、作り手への敬意を感じる。彼らも作り手でありながら、情熱的な使い手でもあるのだ。その循環する関係性こそ、あたり前なんだと教えてくれた、美味しいピザ屋。（有賀みずき）

MUNCH'S Pizzeria

1. Customers can use gorgeous tableware from Bizen-ware potter Shota Terazono
2. Pizzas are made using characteristically Okayama ingredients like oysters, Pacific sandlance and Shilver croaker
3. They sell pizza from their food truck in the Kyobashi Morning Market, Field of Craft Kurashiki and elsewhere

MUNCH'S Pizzeria is in Setouchi's Ushimado-cho district, a tranquil port-town area. The Maruos, a married couple who moved here from Tsuyama, originally sold their pizzas around town and at events from a food truck, but after meeting local Bizen-ware potter Shota Terazono they decided to set up shop permanently in Ushimado-cho. Their pizzas, made with special homemade yeast and topped with fresh, seasonal ingredients, were not only delicious but visually well-coordinated using Bizen tableware. When I mentioned that there was an item I would love to purchase if it were sold in-shop, they promptly contacted Terazono himself, who said that it was available for purchase at his workshop. Afterward, I toured Terazono's workshop and bought an appropriate-sized version of the item to use at home. (Mizuki Aruga)

蒜山耕藝 くど

岡山県真庭市蒜山下和 1418-2
Tel: 0867-45-7145
ランチ 11時30分〜14時
カフェ 14時〜17時（L.O. 16時）
火〜土曜休　hiruzenkougei.com
湯原ICから車で約25分

1. 蒜山の移住者夫婦が営む、農家レストランと直売所。

2011年に移住し、翌年創業。伝統野菜「土居分小菜」など、無農薬・無肥料で育て、美味しく美しく提供する農家・高谷夫妻。

2.「蒜山〇餅」や「ケのしょうゆ」などの“デザイン物産”。

蒜山に生まれた新しい産地直売所の形。
グラフィックデザインは、「アオバト」の前崎成一さん。

3. 西粟倉村の家具メーカー「ようび」による元倉庫の再生。

石川昌浩さんのガラスや、堀仁憲さんの器、
坂野友紀さんのカトラリーなど、“移民”仲間によるモダンな設え。

蒜山の新しいライフスタイル　「農家レストラン」と聞くと、地元のお母さんたちが集まってやっている色気のない田舎料理の食事処をイメージする。そして、どの地域でも遜色ない料理。それはおそらく、田舎からみた田舎（料理）であって、都会からみた田舎（料理）があってもいいんじゃないか、と僕は思う。「蒜山耕藝くど」は、そんな都会的なセンスを持ち合わせた農家レストラン兼直売所。蒜山高原は、鳥取県との県境に位置し、酪農も盛んで田園風景が広がる自然豊かな場所。店主の高谷裕治・絵里香さん夫妻は、2011年の東日本大震災の後、東京から移住してきて、農家になった。雨の日（晴れの国とはいえ、当然雨も降る）も、試行錯誤を続けながら、今では、米を中心に、伝統野菜「土居分小菜」や穀類も作づけしていて、管理面積は、全体で約7町歩（東京ドーム約1・5個分）。彼らの店には、多くの移住仲間が集まり、ガラス作家の石川昌浩さんや、陶芸家の堀仁憲さんなど、時には店内で個展もしたり。毎年開催している『収穫祭』では、「オカズデザイン」による特別料理もいただける。週2日提供するランチは、単なる〝田舎の家庭料理〟ではなく、今を生きる喜びを噛み締め、未来の田舎生活が垣間見える一皿だった。デザインある米や味噌の加工品もぜひ、お土産にしたい。彼らの生きる姿勢は、蒜山に移住者を増やすきっかけにもなり、都会人にとっても憧れを抱くことだろう。僕の知る限り、新進気鋭のカッコいい田舎暮らし。（神藤秀人）

Hiruzen Kogei Kudo

1. Farmhouse-based restaurant and direct sales shop operated by a married couple who relocated to Hiruzen
2. They sell carefully designed local specialty products such as *mochi* rice cakes and soy sauce
3. Located in a former warehouse restored by Nishiawakura-son furniture maker Youbi

Hiruzen Kogei Kudo is a farmhouse-based restaurant and direct sales shop incorporating urban tastes, located in the scenic Hiruzen Highlands on the border with Tottori. Married owners Yuji and Erika Takaya moved here from Tokyo to become farmers after the 2011 Great East Japan Earthquake. They mainly make rice, but also grow traditional Doibun-kona leafy vegetables and cereal grains. Artists such as glassmaker Masahiro Ishikawa and potter Kazunori Hori hold solo exhibitions at the house, and during the annual harvest festival they serve special food prepared by Okaz Design. The restaurant's lunches are exciting and dynamic, and their stylish rice and *miso* products make great gifts. The Takayas' approach to life attracts more people to Hiruzen and sets an example that many urbanites will hope to follow.
(Hideto Shindo)

Bricole

岡山県倉敷市中央 1-6-8 2F
Tel: 086-425-6611
ランチ 12時〜14時30分（要予約）
ディナー 18時〜22時（要予約） 月曜休、他不定休
bricole.info
倉敷駅から徒歩約15分

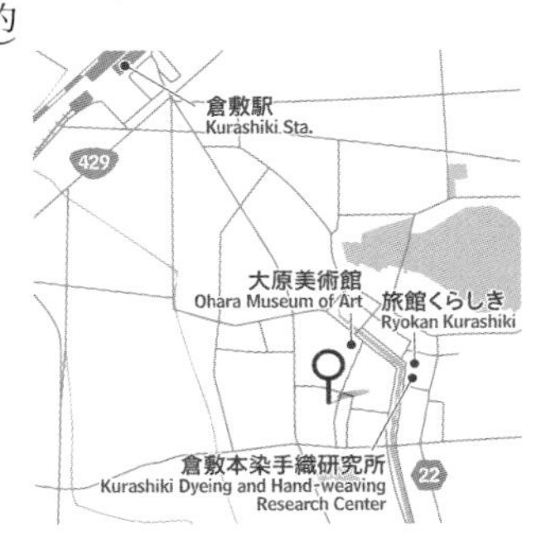

1. 鰆をはじめ、岡山県の食材をふんだんに使った和食コース。

ママカリ、青ウナギ、サツキマス、真備のタケノコ、千両ナス、黄ニラ、哲西栗……これでもか！というほど岡山産食材。もちろん「tetta」のワインや、「白菊酒造」などの地酒も。

2. 塗師・赤木明登氏のパン皿や、「Quiet House」の備前焼など盛られる料理。

家具には「テオリ」の竹材の椅子やハンガーラック。

3. 美観地区に立地し、宿の「滔々」に併設。

窓からは「大原美術館」分館の眺望。2019年に生まれた美観地区随一の“デザインレストラン”。

待ちに待った〝岡山の食〟岡山県を旅した中で、ここまで岡山の食材を一堂に集めた〝デザインレストラン〟があっただろうか。もちろん、岡山県は、天候に恵まれ、食材の宝庫でもあるため、どこのお店に入ったとしてもそれなりに美味しかった。しかし一方で、食材そのものが美味しいため、手の込んだ料理や、いわゆる「郷土料理」も少なかったように思える。倉敷美観地区にある「Bricole」は、モダンなコンクリート建築の2階。店内は、カウンターが5席、半個室が2部屋。窓からは、「大原美術館」の分館の波型屋根が覗き、ちょっとした隠れ家のようだ。料理は、『先付』から始まり、さまざまな季節の寄せ集め料理『八寸』へ。使う器は常時変わるが、主に岡山県浅口市出身の塗師・赤木明登氏のパン皿（輪島塗）に美しく盛られる。ガラエビの素揚げや、黄ニラの松前漬など、色みも味も豊かな約10品をいただくと、次は『向付』。備前焼のオーバルに、鰆の焼き霜造りや、ハモの湯引きなど。瀬戸内海の新鮮な魚介類の盛り合わせだ。料理長の矢長謙三さんは、東京で8年間日本料理店を営み、地元倉敷へと戻ってきた。「Bricole」の店名には、「寄せ集める」という意味があり、岡山の多彩な食材や、美観地区の和洋折衷の町並みにも通じ、この土地で守られてきたことへの敬意も感じる。そして、その思いはきっと、料理を通して多くの人にも伝わるはず。美味しいものをさらに美味しく。美観地区にふさわしい美しい料理。（神藤秀人）

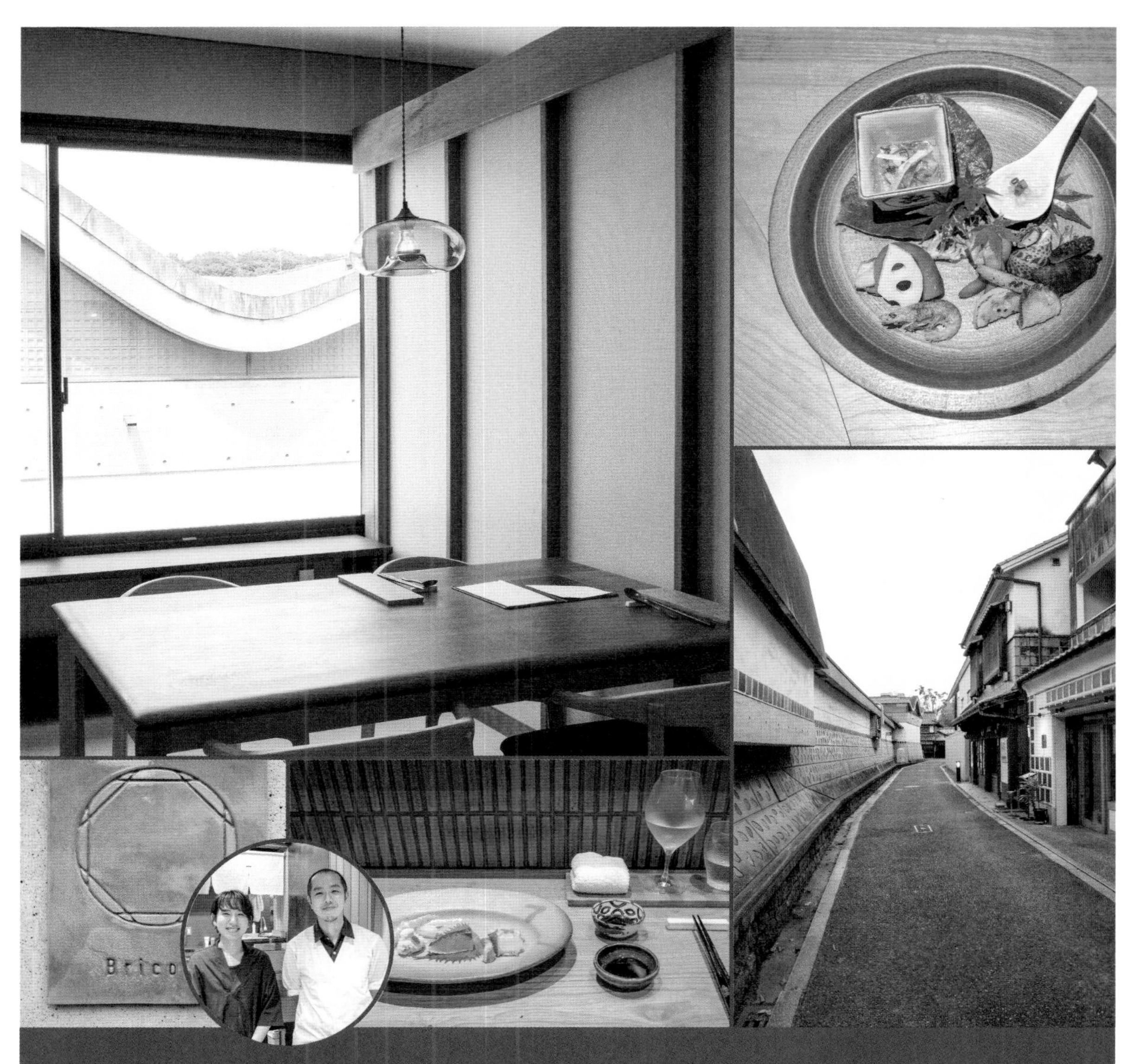

Bricole

1. **Japanese-style, multi-course meals made with Spanish mackerel and other local Okayama ingredients**
2. **Bread plates from lacquerware artist Akito Akagi**
3. **Located in the Bikan Area, attached to toutou Kurashiki gallery and stay**

Bricole is in a modern-style concrete building in the Bikan Area. All meals are multi-course, use seasonal ingredients, and are served on Wajima-*nuri* lacquered bread plates by artist Akito Akagi as well as Bizen ware dishes. Their food includes items such as unbreaded, deep-fried *garaebi* shrimp and pickled *kinira* chives, as well as seared Spanish mackerel sashimi, parboiled pike conger and other fresh Setonaikai seafood. Head Chef Kenzo Yanaga owned a restaurant in Tokyo for eight years before returning to his hometown, Kurashiki. He respects the diversity of Okayama culinary ingredients and the Japanese–Western blending seen in the Bikan Area townscape, and this respect comes through in his cuisine. Yanaga strives to make good food even more delicious, as is fitting for the Bikan Area. (Hideto Shindo)

8

くらしのギャラリー本店

岡山県岡山市北区問屋町 11-104
Tel: 086-250-0947
11時～19時　火曜休
okayama-mingei.com
北長瀬駅から徒歩約15分

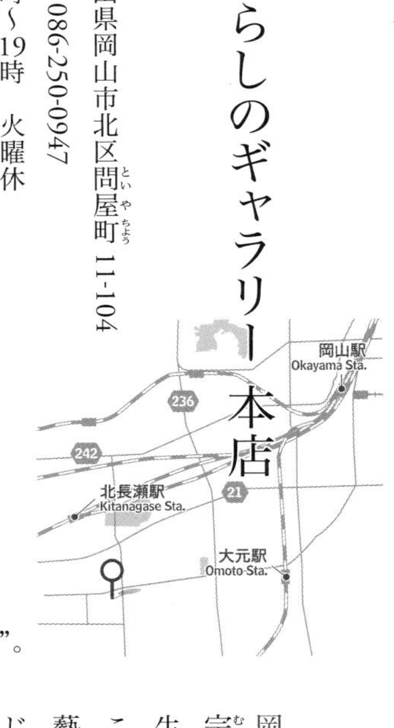

1.「民藝」をはじめ、岡山県のものづくりを中心とした、暮らしの道具店。

「倉敷ノッティング」の椅子敷きや、「石川硝子工藝舎」のガラス製品、「須浪亭商店」のい草籠など、岡山県の日常で使いたい工芸品の数々。岡山県だけでも十数組の作り手を紹介する店。

2. 1947年創業。「岡山県民芸振興株式会社」の実店舗。

2012年、岡山の若者がこぞって集まる問屋町に移転。民藝運動にも尽力した岡山県出身の杉岡泰が創業。

3. 四代目番頭の仁科聡さんの独自のセンス。

松本民芸家具の『ウィンザーチェア』展に合わせた、「Slow Coffee」の限定豆「イーッスよ。ティモール」など、オリジナリティー溢れる“民藝ショップ”。

岡山の暮らしの配り手　「民藝運動」は、1926年に柳宗悦らによって提唱された生活文化活動であり、日常の生活道具を「民藝（民衆的工藝品）」と名づけ、称賛したことは言わずと知れているが、僕はこの岡山県にこそ、民藝運動に通じる、美しい暮らしへのこだわりがあると感じている。問屋町にある「くらしのギャラリー」は、「倉敷ガラス」をはじめとする岡山県の民藝を中心とした日本の生活道具が集まる。ポール・ヘニングセンの照明「アーティチョーク」が、店の中心で光るモダンな空間。そんな中、僕は、井原市で工房を構える仁城逸景さんの漆塗りのお椀を手に取った。ぽってりとしたニキビ面（ぷつぷつ）が可愛い。四代目番頭の仁科聡さんは、作り手のことから商品のことまで詳しく教えてくれる。1946年、岡山県出身の杉岡泰は、倉敷の外村吉之介や大原總一郎などと合流、民藝運動に参画。「岡山県民芸振興株式会社」を設立し、その実店舗として「くらしのギャラリー」を開業。作り手のことを十分理解し、〝配り手〟として「民藝」を普及させようという考えだった。物質的な豊かさだけでなく、より良い生活とは何かを、この店に来ると改めて考えさせられる。岡山は、比較的災害も少なく、自然豊かな暮らしがある。移住者も多く、有意義な時間を過ごしている。「須浪亭商店」のい草籠にワインなんかを入れて手土産にするのもいいかもしれない。そんな岡山ならではの暮らしを、充実させてくれる店。（神藤秀人）

Kurashi no Gallery Honten

1. **A shop selling tools for everyday life, including *mingei* crafts**
2. **Established in 1947 as the physical shop representing Okayama Prefecture Traditional Crafts Promotion Co. Ltd.**
3. **Revolves around the unique sensibilities of fourth-generation shop head Satoshi Nishina**

This modern-style shop in Toiya-cho sells Kurashiki Glass and other daily-use craft products from Okayama. Fourth-generation shop owner Satoshi Nishina taught us everything he knows about creators and their works. The first company president, Yutaka Sugioka, joined the *mingei* movement with Kichinosuke Tonomura and Soichiro Ohara. He then founded Okayama Prefecture Traditional Crafts Promotion Co. Ltd. and created Kurashi no Gallery as its shop, using his knowledge of local artists to help distribute their works. Visiting this shop makes one think about what makes a good lifestyle, rather than focusing on material abundance. Okayama has few natural disasters, prompting many to move here to enjoy more rewarding lifestyles. This shop helps to make life in Okayama that much more fulfilling. (Hideto Shindo)

9

domaine tetta

岡山県新見市哲多町矢戸 3136
Tel: 080-3876-7462（café）
11時〜16時　木・金曜休（祝日の場合は営業）
1〜2月はランチが冬季休業
tetta.jp
新見 IC から車で約30分

新見IC
Niimi Exit
33
50
313
吹屋ふるさと村
Fukiya Furusato Village
備中高梁駅
Bitchu-Takahashi Sta.
賀陽IC
Kayo Exit

1. 葡萄の耕作放棄地を再生した、革新的ワイナリー。

哲多町の広大な葡萄畑を再生し、2016年、ワイナリーを開業。もちろん生食用の葡萄もつくる岡山ならではの農園。

2.「安芸クイーン」「シャルドネ」「ピノ ノワール」など、自社農園の葡萄を使ったワイン。

アートディレクター・平林奈緒美氏によるグラフィック。パンダ（?）や創業者、畑や醸造の責任者などをモチーフにした可愛いラベル。

3. 岡山出身の「Wonderwall」片山正通氏による建築。

現代アートを展示するなど、哲多町に人を呼ぶデザイン建築。葡萄畑を望むワイナリーレストランを併設。

哲多町の農家ワイン　哲多町は、「ピオーネ」や「安芸クイーン」など、生食用の葡萄の産地。「晴れの国」といわれる通り、長い日照時間と寒暖差、そして、石灰岩質の土壌が、美味しい葡萄を育てるという。そんな産地も、経営破綻を起こして、農園を手放したり、管理をやめてしまうような例も少なくはない。標高400メートル、小高い山の頂上に「domaine tetta」はある。広大な葡萄畑が広がる農園の一角に異彩なデザイン建築。建設業を営む代表・高橋竜太さんは、雑木林に覆われた閉園寸前の葡萄農園を見て、2009年、耕作放棄地の再生を目的に立ち上がった。農家としてあたり前のように生食用の葡萄を作るのではなく、売り方やプロモーションも考える必要があったという。哲多町は、偶然にもブルゴーニュ地方などのワインの銘醸地にも似た土壌。ならばと、この地でドメーヌのワインづくりに挑戦。生食用の葡萄を栽培する傍ら、仲間と共にワインづくりにも注力してきた。そして、2016年に完成したワイナリーには、レストランを併設し、葡萄畑を眺めながら食事もできる。不法投棄されていたパンダを、ラベルのデザインに取り入れ、「安芸クイーン」「シャルドネ」「ピノ ノワール」などを使い、少しずつラインナップも増やしてきた。農業中心のワイナリーであり続けたい、と高橋さん。石灰岩の採掘場を活用したワインカーブなど斬新なアイデアもある。岡山県ならではの、規格外のドメーヌワイン。（神藤秀人）

domaine tetta

1. A revolutionary winery that restored and reused abandoned vineyard land
2. Wine made using Aki Queen, Chardonnay, Pinot noir and other grapes grown in their home garden
3. Architectural design by interior designer and Okayama native Masamichi Katayama

Tetta-cho is a production center for dessert grapes, and domaine tetta is located on a mountain summit of 400 meters (1,312 feet). The concrete-design facility sits amidst a vast vineyard surrounded by nature. After finding some overgrown and nearly abandoned grape-growing land, owner Ryuta Takahashi, who works in the construction industry, started this business in 2009 to restore the land for vineyard use. Rather than simply growing grapes for consumption, he decided to pursue wine production, noting that the soil was similar to that of the famous Burgundy wine region. Wine is not a well-known Okayama product; this, for Takahashi, was reason enough to take on the challenge. After completing his winery in 2016, Takahashi opened an attached restaurant so customers could gaze out at the vineyard as they dine. (Hideto Shindo)

ようび

岡山県英田郡西粟倉村坂根43
Tel: 0868-75-3223
ショールーム　10時〜17時（要予約）　木曜休
youbi.me
西粟倉ICから車で約5分

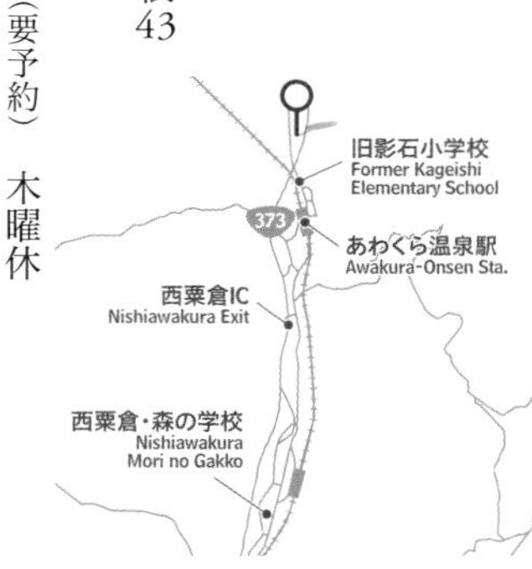

1. 西粟倉村のヒノキを使った、無類の木工メーカー。

村の木材を消費し、家具や建築をつくり、価値を上げ、
林業を活性化。村内の施設や蒜山の「蒜山耕藝」などの施工も。

2. ワークショップで建てた斬新な木造建築。

延べ600人が参画した、新社屋再建プロジェクト
「ツギテプロジェクト」。建材にはスギの間伐材を用い、
京都の東本願寺の改修時の足場板なども有効利用。

3. 併設する「ようびの日用品店」では、ヒノキ家具を実際に試せる。

広大な田んぼが望めるショールームで、「イトシロウィンザーチェア」や、
「ホタルスツール」などのヒノキ家具。建築の相談も可。

森林に生かされた工房　ヒノキは、積雪に弱く、主に太平洋側に生息している固有の木で、岡山県については、日本一の生産量（丸太）を誇っている。だが、現実には、数十年かけて育ってきたヒノキは、市場で安値で取引され、ほとんど利益にならないという。日頃の管理にも費用や労力もかかる。広大な森林が広がっていても、管理を放棄する所有者も少なくなく、西粟倉村もまた、そんな価値の上がらない荒れた森林にずっと悩まされてきた。飛騨の木工メーカーに勤めていた大島正幸さんは、木材の視察で村を訪れたそう。その時知った森林の事情。彼は、このヒノキを使って、村の中で家具を作り、木の価値を上げ、林業を活性化させていこうと決意。2009年、家具・建築設計施工会社「ようび」を設立。柔らかいヒノキは、実は家具には適さないが、独自の設計とデザインで、軽くて丈夫な家具を開発。代表作の「イトシロウィンザーチェア」などの椅子は、村内や全国各地で使われ、海外からも注目されてきた。しかし、2015年、予期せぬ工場全焼。大島さんは、すぐに再建を決意し、仮工房で活動を開始。次いで、新工場再建プロジェクト「ツギテプロジェクト」を立ち上げ、間伐材のスギを使って、延べ600人ものボランティアスタッフと一緒に、工場をセルフメイドした。田んぼに立つ佇まいは、まるで寺院のように堂々としている。命を吹き返し、ますます躍動する「ようび」。地域と共生する木工メーカーだ。（神藤秀人）

Youbi

1. One-of-a-kind woodworking facility that uses Japanese cypress from Nishiawakura-son
2. Led an innovative wooden architecture project through a collaborative workshop with volunteers
3. Visitors can test out cypress furniture for themselves at the attached Youbi Daily Goods Shop

Okayama has the highest Japanese-cypress lumber yields in the nation. The wood is used in famous shrines and temples, and also for bathtubs and bath salts due to its pleasant aroma. However, the wood sells at low prices on the market, bringing little profit despite long cultivation times and high growing costs and labor. Many in Nishiawakura-son have abandoned their cypress land. Masayuki Oshima, formerly a carpenter in Hida, learned of the state of local industry during an inspection tour. He decided to come and make furniture in the village, boost the market value of cypress and revitalize the industry. In 2009, he founded the furniture and architecture design/construction company Youbi. Cypress is not an optimal furniture material, but Oshima uses unique design approaches to create light and sturdy products. (Hideto Shindo)

11

belk

岡山県倉敷市児島唐琴町7 王子が岳パークセンター
10時〜18時　無休
www.instagram.com/_belk__/
児島ICから車で約25分

462
EVERY DENIM / DENIM HOSTEL float
belk 離れ
belk hanare
王子が岳
Ojigatake
瀬戸内海
Setonaikai Sea
430

1. 瀬戸内海を一望。「王子が岳」にある展望カフェ。

標高約230メートルの山頂近くの喫茶店。ユニークな花崗岩の「にこにこ岩」や、瀬戸内海の「くじら島」などの眺望。

2. 美しくリデザインされた国立公園内の展望所。

無機質なコンクリート建築を、オーナー自らが改装。吉備中央町の木工作家・植月大輔さんの家具、奈良県の「sonihouse」のスピーカーなど、センスいい空間づくり。

3. 夕暮れ時のライブイベントなど、児島・玉野の新名所。

「自然とともにある暮らし」をコンセプトに、3つの店舗を展開。海の見えるショップ＆ギャラリー「離れ」、玉野の街中にあるナチュラルワインバー「街」。

王子が岳に融け込むカフェ　瀬戸内海に面した国立公園「王子が岳」。ゴロゴロとした花崗岩の奇岩や巨岩から形成され、知る人ぞ知るボルダリングの聖地でもあり、中でも人気なのは「にこにこ岩」というユニークな岩。そして、何よりも私が目指してきたのが、この瀬戸内海の眺望だ。本州と四国の距離が最も近い地点だそうで、対岸の香川県の山々や、大槌島、「くじら島」、瀬戸大橋、行き来するいくつもの船——という景色が広がる。岩に腰かけて、海風にあたりながら眺めるのも気持ちがいい。そんな王子が岳で、ぜひ立ち寄りたいのがカフェ「belk」だ。建物は、元展望所を利用しているため、瀬戸内海の景色はそのままにのんびりとお茶ができる。私は、建物の横をスタート地点に、パラグライダーの体験やスクールが行なわれていて、空を舞う様子も見ていて飽きることがなかった。ガラス窓に面した特等席に座った。週末は、大きなガラス窓に面した特等席に座った。オーナーの北村健太郎さんは、玉野市出身。子どもの頃から大好きだった場所をセルフリフォーム。従来のコンクリート建築に、木の家具をバランスよく配置。「sonihouse」のスピーカーからは、美しい音楽が鳴り響いている。〝自然とともにある暮らし〟を大切にしたいという彼の思いが、国立公園の展望台を、人々が何度も足を運びたくなる場所へと変えた。背景や風景を敬い、愛でる感覚は、ごく自然に人々に共感され、必然的に引き継がれていくのだろう。王子が岳の魅力が詰まった喫茶店。（有賀みずき）

belk

1. Cafe and observation deck atop Mount Ojigatake with a sweeping view of the Setonaikai Sea
2. Housed in a beautifully redesigned observatory building inside a national park
3. Newly popular spot for the Kojima and Tamano areas, hosting live music events at sunset and more

Mount Ojigatake rises to 230 meters (755 feet) and sits in a national park overlooking the Setonaikai Sea. It's a mecca among rock climbers and popular for its "Smiling Rock." I visited for the view of the sea at this location where Honshu and Shikoku are the closest. One can look out and see Kagawa's mountains, islands dotting the sea, the Seto Ohashi Bridge and boats plying the waters.I recommend stopping in at belk, a cafe in the former observatory building where customers can relax with a cup of tea as they enjoy the view. I sat in one of the special seats situated in front of the large lookout window and had some coffee and cheesecake. On weekends, visitors can try paragliding—even take classes—right next to the cafe. I never tired of gazing out at those gliders flitting through the Setouchi skies during my visit. (Mizuki Aruga)

12

マルゴデリ 田町店

岡山県岡山市北区田町 1-1-11
Tel: 086-235-3532
11時〜20時　第1火曜休
maru5deli.com
岡山駅から徒歩約10分

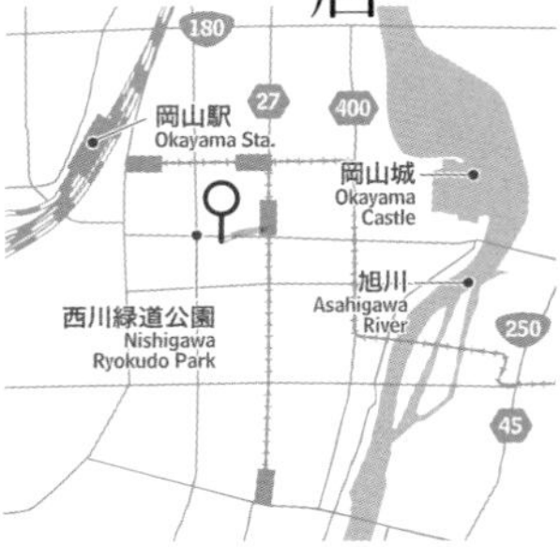

1. 岡山県のカルチャー的フレッシュジュースの店。

岡山の人がこぞって利用するドリンクスタンド。
ストリート文化や、音楽などと共存する、岡山のランドマーク。
西川緑道公園をはじめ、カフェスペースに見立てた“街”。

2. 白桃やマスカットなど、主に岡山産の果物を使った美味しいジュース。

黄金桃やピオーネ、シャインマスカット、苺、イチジク、梨……
全て期間限定（旬のみ）。定番のバナナやキウイなどもオーガニック。
「名刀味噌本舗」の甘酒もミックスジュースに。

3. 倉敷の「丸五ゴム」の店舗跡を利用したユニークな店。

店名もロゴも、「丸五」をオマージュして引用。

岡山のジュースカルチャー　コーヒースタンドに始まり、今でこそ、「ドリンクスタンド」は、全国に増えてきていて、クラフトビールや自然派ワイン、さらには、タピオカといった、新しいドリンク文化もちらほら見かける。そこで、岡山県でドリンクスタンドといえば、誰が何と言おうと「マルゴデリ」。果物王国・岡山県ならではのジューススタンドで、中でも1号店の「田町店」は、僕も、岡山に滞在中はよく利用した。1度目は、岡山県の「いちご」で、粗糖と少量の牛乳だけの濃厚なジュース。2度目は、香川県の「豊島レモン」で、ホットやスカッシュもできる甘酸っぱいジュース。3度目は、徳島県の「すだち」で、瀬戸内市の「名刀味噌本舗」の甘酒をミックスした珍しいジュース。次々と出会う旬の味が、楽しく美味しかった。「マルゴデリ 田町店」は、倉敷のゴムメーカー「丸五ゴム」の店舗跡を利用したユニークな店構え。店の周辺は、バーや居酒屋も多い繁華街。クラブやライブハウスなどの音楽文化も根づき、近隣の「西川緑道公園」は、街のオアシスでもある。そんな老若男女が集まる場所を、カフェスペースと見立て、ジュース片手に岡山を堪能してほしい。いつ行っても誰かがジュースを飲んでいるチャーミングな光景は、もはや文化と言えるだろう。梅雨が明ける頃、岡山の「白桃」がメニューに加わった（まだ飲んでない！）。果物はこれからが旬。岡山県を象徴し、街のハブにもなるジューススタンド。（神藤秀人）

Marugo Deli Tamachi Shop

1. Fresh-juice shop with Okayama Prefecture cultural roots
2. Tasty juice products made mainly with Okayama fruits such as white peaches and Muscat grapes
3. Unique commercial space using the renovated shop of former Kurashiki company Marugo Rubber

Small, culturally innovative drink-focused shops are popping up all over Japan. Surving coffee, craft beer, wine, tapioca drinks and more. Marugo Deli is a group of juice bars in Okayama known for its fruit, and the Tamachi Shop was the first. Drink flavors include rich Okayama strawberry with raw sugar and a dash of milk; sour Teshima (Kagawa) lemon served hot or with soda; and the unusual Tokushima *sudachi* citrus mixed with *amazake* (sweet fermented-rice beverage) from Meitou Miso Honpo.Marugo Deli is located in a district filled with bars and pubs, with a rich music culture apparent by its many nightclubs and live music halls. Near the shop, Nishikawa Ryokudo Park serves as an urban oasis of green space for locals of all ages. I encourage you to grab a beverage and enjoy Okayama's park life and attractions to the fullest. (Hideto Shindo)

13

三村珈琲店

岡山県井原市芳井町下鴫 2538-2
Tel: 0866-74-0012
10時～18時　月・火・日曜休
井原駅から車で約25分
mimuracoffee.net

1. 井原市の元郵便局をセルフリフォームした自家焙煎珈琲店。

築90年の廃墟だった郵便局をできるだけ元の状態で有効活用。
わざわざでも行きたい、山の中の純喫茶。

2. 備前焼のカップでいただく炭焼きなどの焙煎珈琲。

珈琲は、細川敬弘さんの「備前焼」でいただく。チーズケーキは、
自ら叩いて作ったアルミの皿に美しく盛られる。

3. 独創性豊かな井原市出身の店主・三村直也さん。

岡山の「トレイラーコーヒー」や、倉敷の「ラコーヒー」、
「珈琲 三村」など、縦横無尽に岡山県内を行き来する。
店内に置かれるさまざまな道具をセルフメイド。

岡山の珈琲店の生き様　白亜の木造建築「三村珈琲店」。派手な装飾もない築90年の旧郵便局。薄暗い店内は、できるだけ当時のままの姿を残し、必要以上の照明や空調設備もない。ピアノやアンティークのベンチ、カリモクの椅子などが配され、所々に置かれるショーケースの中には、店主の三村直也さんが蒐集したミルやカップ、文房具、松ぼっくり……中には見たこともない道具まで、まるでギャラリーのよう。窓側の席で、年配の女性客が会話を楽しんでいる光景は、どこか懐古的。もともと鉄道会社に勤めていた三村さん。尾道で駅員をしていた頃、街にはたくさんのユニークな人たちが集まったという。彼は、街や観光地に付属するのではなく、自分自身を目指して来てくれる人に会ってみたいと、珈琲の世界へ。２００５年、夫婦でこの地に来た。ここを自分たちの暮らしの拠点にしようと、郵便局と家を改装し、畑や田んぼ、合鴨農法までやってきた。焙煎機は、廃業した珈琲店から譲り受け、ほぼ独学で技術を習得。多くの人が、わざわざ山の中の店まで来てくれた。そして、２０１３年に「トレイラーコーヒー」をスタート。倉敷（※現在はやってない）や岡山への移動販売は、遠方から来る常連客にも好評で、２０１９年には、倉敷に「ラコーヒー」をつくった。流行や観光地に奢れることなく、無論、利害関係も持たない。珈琲を通して、岡山という暮らしを、全身全霊で楽しむ三村さん。裏表のない、岡山らしい珈琲店。（神藤秀人）

Mimura Coffee

1. A café – formerly a post office in Ibara City renovated by the owners – that roasts their own coffee.

2. Coffee roasted on charcoals is served in Bizen ware cups.

3. The creative café owner, Naoya Mimura, is an Ibara native.

Mimura Coffee is a minimalistic, white wooden-built café renovated from a 90-year-old post office. The dimly-lit interior seeks to preserve the appearance of that time. One can see a piano, antique benches, Karimoku chairs, while the display cabinets showcase coffee grinders, cups, saucers, stationary, books, and pinecones collected by the owner, Naoya Mimura. In 2005, Mimura moved here with his wife. They remodeled the post office and their residence, added vegetable plots, and even integrated rice and duck farming. They got roasters from a café that closed down and basically learnt how to roast coffee themselves. They have many patrons who visit their elusive café in the mountain. Mimura is living his life to the fullest in Okayama through coffee. This is a what-you-see-is-what-you-get café in true Okayama style. (Hideto Shindo)

14

ルーラルカプリ農場

岡山県岡山市東区草ケ部（くさかべ）1346-1
Tel: 086-297-5864
10時〜17時　不定休
yagimilk.com
上道（じょうとう）駅からタクシーで約5分

1. 山羊（やぎ）の酪農場にあるポップで愉快な野外酒場。

山羊チーズを使ったパニーノと、岡山県のナチュラルワイン。
晴れの日にこそ、昼から呑（の）みたい岡山の大人の遊び場。

2. 山羊ミルクを使ったここにしかない絶品デザート。

ソフトクリームや山羊乳ヨーグルト、
レアチーズケーキなど、岡山の酪農フードの最高峰。

3. 1910年創業。四代目・小林真人さんの斬新な酪農スタイル。

フラワースタイリストのワークショップや、スパイス調合家とのコラボ料理など、
柔軟性の高い酪農家。障がい者支援サポート「RCF」と事業提携。

岡山の酪農　葡萄（ぶどう）畑に囲まれ、緑豊かな小高い丘の上にある「ルーラルカプリ農場」。約3ヘクタールの農場内には、約100頭の山羊が飼育されており、「メェェー」という優しい鳴き声に、まず心が癒される。世の中の酪農の中には、〝ふれあい農場〟などの見世物としての酪農も少なくないが、ここのコンセプトは、〝農場レストラン〟で、〝昼呑みワイン酒場〟。ぜひ晴れた日には、備前市の「コチビール」で乾杯しよう！　山羊のフレッシュチーズをのせた、パニーノやクロスティーニなどのフードも美味（おい）しく、新見市の「tetta」や「コルトラーダ」などのナチュラルワインが抜群に合う。お酒の苦手な人やドライバーは、山羊ミルクを使った「ヤギラッテ」もお薦め。もちろん、デザートにはソフトクリームも忘れずに。創業100年以上の老舗（しにせ）農場は、もとは牛の酪農から始まった。市内で暮らしていた小林真人さん（四代目）は、1992年、実家へと戻り、家業の酪農家へ転身。妻子と共に田舎での新生活。山羊ミルクは、母乳に代わる唯一の栄養源。世界のさまざまな酪農事情を知るうえで、〝持続可能な暮らし〟を意識すると、山羊にシフトしていったのは自然だった。畜舎を使ったさまざまなイベントを柔軟に受け入れ、今後はアーティストなどのアトリエとしても開放していきたいという。酪農の新しいスタイルを追求し、いつもフェスのようでポップな農場は、もはや酪農ではなく、山羊と暮らす〝岡山らしい人生〟だと、僕は思う。（神藤秀人）

Rural Caprine Farm

1. Pop and fun outdoor restaurant on a goat dairy farm
2. Delicious, one-of-a-kind desserts made with goat milk
3. Innovative dairy farming by Makoto Kobayashi, fourth-generation owner of this farm established in 1910

This scenic dairy farm, located atop a hill surrounded by vineyards, specializes in goat milk—a rarity in Japan. About 100 adorable goats live on their land. They even run a restaurant and afternoon bar, which serve local Koti Brewery beer from Bizen City along with very tasty foods such as *panini* topped with *fromage blanc–style* goat cheese. Visitors can also try domaine tetta and Coltrada wines from Niimi City, or a "goat latte" as a non-alcoholic option. And don't forget the soft serve for dessert! Goat milk is considered the only truly nutritional alternative to human breast milk, and goats themselves are very friendly with humans. In consideration of the current state of the dairy industry, and in pursuit of more sustainable living, owner Makoto Kobayashi felt the switch to goat milk was entirely natural. (Hideto Shindo)

15

旅館くらしき

岡山県倉敷市本町 4-1
Tel: 086-422-0730
1泊2食付き1名 36,800円〜（2名利用時）
ryokan-kurashiki.jp
倉敷駅から徒歩約15分

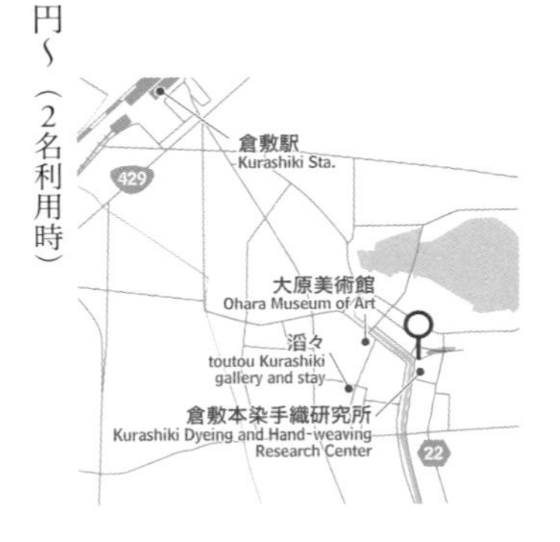

1. 美観地区の砂糖問屋を改築した、老舗デザイン旅館。

1957年、倉敷の建築家・浦辺鎮太郎設計で竣工。
司馬遼太郎などが愛した、約270年前の米蔵に泊まる「巽の間」。

2. 倉敷川を眺める、和洋折衷のモダンな部屋。

築約180年の母屋と蔵を2017年にリニューアル。
設計は、奈良県の「紀寺の家」の藤岡建築研究室。
家具には、倉敷の「HARUMI FINE CRAFT」。

3. 随所に"倉敷民藝"を取り入れたおもてなし。

「倉敷緞通」の荷物置きや「倉敷ノッティング」の椅子敷き。
旅館オリジナルの便箋と封筒には「備中和紙」。
朝刊は、「須浪亨商店」のい籠で部屋に届く。

美観地区の建築に泊まる　倉敷川を中心に広がる倉敷美観地区は、「大原美術館」の大原家の業績もあり、1968年に倉敷市独自の保存条例を制定するなど、町ぐるみで美しい景観を保存してきた歴史がある。時には、川舟流しや人力車を目にするのも、どこか他の観光地にはない風情を感じる。しかも、約600棟ある古い建物のほとんどが、民間の所有だというから驚きだ。そんなみんなが大切に守ってきた美観地区らしい建築に宿泊できる「旅館くらしき」。目の前に流れる倉敷川の「中橋」から宿を望むと、柳の木や舟が借景にもなり、まるで風景画のよう。もともとは砂糖問屋の建物。母屋と砂糖蔵の部屋の「倉敷窓」からは、倉敷川が望め、建物の奥にある米蔵や道具蔵の部屋は、美観地区の喧騒から一転、静かで落ち着く空間。米蔵の2階は、棟方志功や司馬遼太郎も愛したという。1957年、当館は、倉敷の名士たちの勧めもあって旅館へと転換。基本設計は、現倉敷市役所庁舎を含め、岡山県の建築を手がける浦辺鎮太郎。当時は、外村吉之介を中心とした民藝運動の流れもあり、館内の随所に"倉敷民藝"をちりばめた。2017年、表通りに面した母屋と砂糖蔵の部屋を、モダンにリニューアル。「備中和紙」を壁紙に配し、「HARUMI FINE CRAFT」の家具を設置。新しい時代と向き合う「旅館くらしき」。隣接する煉瓦造りの空間「倉敷珈琲館」もあわせて利用したい。美観地区の美しい時間が今も流れている宿。（神藤秀人）

Ryokan Kurashiki

1. ***Ryokan*** **traditional inn made by renovating sugar wholesaler buildings in the Bikan Area**

2. **Modern rooms with views of the Kurashiki River blend Japanese and Western styles**

3. **Hospitality incorporating Kurashiki traditional crafts throughout the inn**

Ryokan Kurashiki is located in the Bikan Area, overlooking the Kurashiki River whose Nakahashi Bridge, willow trees and boats create a scene straight out of a landscape painting. The buildings once belonged to a sugar wholesaler. The main building and former sugar warehouse offer views of the river, and rooms deeper in the facility, once used for rice and tool storage, provide quiet spaces isolated from the hustle and bustle of the Bikan Area. These were converted into a traditional inn in 1957, with Okayama architect Shizutaro Urabe taking part in the project and Kichinosuke Tonomura's *mingei* movement influencing its design. Renovations completed in 2017 include Japanese–Western wallpapering and the Harumi Fine Craft furniture installation. We recommend visiting the next-door Kurashiki Coffee Museum. (Hideto Shindo)

16

滔々

岡山県倉敷市中央 1-6-8
Tel: 086-422-7406
町家の宿（1泊2名 39,600円〜）
二階の宿（1泊2名 29,700円〜）
toutou-kurashiki.jp
倉敷駅から徒歩約15分

1. 美観地区にある和洋新旧の一棟貸しの宿。

築100年の町家を改築した趣ある「町家の宿」と、
ギャラリーの2階に併設したモダンな「二階の宿」。
日本料理店「Bricole（ブリコール）」が隣接。

2.「備中和紙」の壁や、「万成石（まんなりいし）」の床など、岡山ならではの設えの「町家の宿」。

森本仁さんの備前焼のスツールや、伊藤環さんのランプシェードなど、
岡山県をはじめとした手工芸。

3. ギャラリーを併設し、宿で気に入った物は購入もできる。

「備前焼」や「倉敷ノッティング」、「alimna」のフルーツジャムなど、
岡山県の“ものづくり”をお土産に。

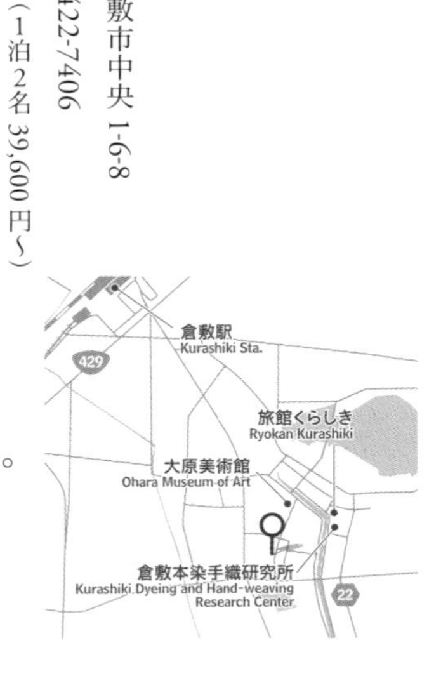

岡山のニュークラフト　美観地区の「大原美術館」の分館の裏に、打ちっぱなしのコンクリート建築、ギャラリー「滔々（とうとう）」がある。ガラス張りのモダンな空間は、歩くとカタカタと音の鳴る木煉瓦（もくれんが）。備前焼やガラス、倉敷ノッティングなど、岡山県の作家も多く、そのどれもが見たことのないものばかり。例えば、「備前焼」。言わずと知れた備前市の赤茶色の陶器。釉薬（ゆうやく）をかけず、長時間（1〜2週間）窯を焚（た）き続け、焼き締めるため、強度が高いが、重く、そして〝土っぽい〟……若者にとっては、なかなか手にする機会も少ない焼物かもしれないが、同じ備前焼作家・森本仁さんの器は、白く、薄挽きで、現代の生活に取り入れやすい秀逸なデザイン。また、花岡央（ひろい）さんの水色に発色する吹きガラスや、無地が新鮮な「倉敷ノッティング」の椅子敷きなど、独自の商品セレクト。もともとギャラリーだったこの場所の活用を相談された現オーナーは、手工芸を扱うギャラリーと、手工芸をコンセプトにした宿の運営を計画。2018年、貸しギャラリーとして使われていた隣接する古民家を再生して「町家の宿」をオープン。味のある曲がった柱や、「蛍壁」といわれる長年の歴史で変化した土壁など、倉敷ならではの「塗屋造り」が趣深い。常設展示が難しい家具などの作り手のことも、宿泊を通して知ってもらえるようになり、翌年には、ギャラリーの2階に「二階の宿」をオープン。倉敷という場所で、さまざまな〝ものづくり〟と出会いをもたらす宿。（神藤秀人）

toutou Kurashiki gallery and stay

1. Rentable lodging house combining Japanese and Western, old and new in the Kurashiki Bikan Area
2. Traditional townhouse with Bitchu ***washi paper, mannari-ishi*** stone floors and other Okayama-esque touches
3. The adjoining gallery sells items seen in the lodging facility

The gallery features a modern-style, glass-enclosed interior with graceful wooden–brick flooring. Its design is accented with Bizen ware, local glassware, Kurashiki knotting and other products from Okayama artisans. Bizen-ware artist Hitoshi Morimoto's tableware adopts contemporary designs tailored to daily use. Hiroi Hanaoka's thin, light-blue blown glass as well as the refreshing solid-colored Kurashiki knotting on the chair cushions are a joy to touch and use.The owner renovated an adjacent old townhouse in 2018 for use as a lodging facility and later converted the second floor of the gallery into another lodging space. The pillars and walls, gracefully aged with time, are in a unique Kurashiki style, and the furniture inside helps to promote its creators. Guests here can experience the products of Kurashiki firsthand. (Hideto Shindo)

17

名泉鍵湯　奥津荘

岡山県苫田(とまだ)郡鏡野町奥津48
Tel: 0868-52-0021
1泊2食付き1名　和室26,400円〜（2名利用時）
洋室25,300円〜（2名利用時）
okutsuso.com
院庄(いんのしょう)ICから車で約25分

1. 吉井川に面する、奥津温泉郷の木造旅館。

築1927年、登録有形文化財。元総理大臣の犬養毅や、
版画家・棟方志功も来館。棟方の作品は、館内随所に展示。

2. 吉井川の川底から繋(つな)がる、類いまれな足元湧出の温泉。

川の流れで形成された花崗岩(かこうがん)の浴槽の「鍵湯」。
岩のくぼみを活かし、立ったままでも入浴できる「立湯」。

3. 津山名物「そずり鍋」などの郷土料理。

吉井川を眺めながらいただく会席コース。
使用する器には、魅惑の輝きを放つ「ウランガラス」も。
夜は、ラウンジで「備前焼」のカップで珈琲を。

吉井川と共存する温泉宿　岡山県の3つの主要河川のうちの一つ、吉井川の上流、鏡野町の奥津橋のたもとでは、「足踏み洗濯」という風習が残る。今では、赤いタスキを掛けた着物姿の女性が行なう、観光者向けの実演もあるが、もともとは近くに生息する野生動物を見張りながら家事をこなす、という生活の知恵から編み出されたものらしく、「洗濯湯」と呼ばれる温泉もあるほど根づいている。「奥津荘」は、そんな奥津温泉郷の入り口、吉井川に面した重厚な木造建築の宿。ロビーには、棟方志功の作品が飾られる。1950年頃、棟方は度々この地を訪れ、奥津の自然を愛し、創作活動に多くの時間を費やし、さまざまな作品を残したという。館内は、真庭市の「佐田建美」による組子や照明も点在し、この土地ならではのものづくりも知れる宿。特筆すべきは、温泉。吉井川の川底から一枚岩で繋がっている花崗岩をそのまま利用した作りになっている2つの湯。「鍵湯」は、その湯質に感銘を受けた津山藩主が、鍵をかけて一人占めしたことに由来。「立湯」は、その名の通り、立って入れるほどの深い浴槽。ゴツゴツした岩に足元を取られないようにしたい。かつては十数件の宿があったが、今ではそのほとんどが閉業した温泉郷。「奥津荘」は、本館の向かい側の離れを改築し、土産物店やバーなどを構想している。温泉地としての信念と誇りを絶やさず、清流・吉井川の恵みに敬意を払い、廃れさせたくない岡山の風景を、守り続けている温泉宿。（神藤秀人）

Meisen Kagiyu Okutsuso

1. Wooden ***ryokan*** (traditional inn) in the Okutsu hot spring town, facing the pristine Yoshiigawa River

2. Rare hot spring baths physically connected to the Yoshiigawa riverbed, with the spring source just below

3. Serves Tsuyama's famous ***sozuri-nabe*** (meat hot-pot dish)

The three rivers Asahigawa, Yoshiigawa and Takahashigawa support daily life and industry throughout Okayama, and prevent water shortages despite the relatively little rainfall the prefecture receives. In the northern town of Kagamino-cho next to the Yoshiigawa River, locals have a custom of washing clothing by stamping it underfoot in the river near Okutsu Bridge. Okutsuso is located in this hot spring town, and two of the inn's baths use as their floors as a large slab of granite that is also part of the adjacent riverbed. The town once had more than a dozen hot spring inns, but now it is in decline, its hot spring business nearly gone. However, Okutsuso still soldiers on, with plans to renovate their annex—with changes including a new gift shop and bar—as they work to keep the local, riverside hot spring culture alive. (Hideto Shindo)

18

町家ステイ吹屋 千枚

岡山県高梁市成羽町吹屋 398
Tel: 0866-29-3050
1泊1名 食事なし 14,000円〜(2名利用時、定員7名)
fukiya-stay.com
備中高梁駅から車で約40分

旧高梁市立吹屋小学校
Former Fukiya Elementary School in Takahashi
85
笹畝坑道
Sasaune Kodo Miner's Shaft
ベンガラ館
Bengara-kan Museum

1. 日本最大のベンガラの産地・吹屋の古民家を再生した宿。

ベンガラ色の町並みに佇む、赤壁・石州瓦の建物。
床や壁、格子など随所にベンガラが残る風情ある宿。

2. 村長が支配人。泊まれば吹屋の町案内付き。

かつてベンガラを生成した「ベンガラ館」や、
ベンガラの材料の硫化鉄鉱を採掘した「坑道」など、
村長の戸田誠さんと一緒に巡りたい「吹屋ふるさと村」。

3. カフェ「燈」を併設、朝食には「高梁紅茶」なども。

地元食材にこだわった、野菜たっぷりのおばんざい。
ベンガラ染やベンガラ焼……朝からもベンガラ尽くし。

日本の「赤」を知る旅　ベンガラは、染色材として江戸時代から重宝されており、石川県の輪島の漆器や、佐賀県の有田の磁器などの絵付に使われてきた。また、防虫・防腐の機能性も持つことから、日本全国でも〝赤壁〟の観光地として残っている。吹屋は、そんなベンガラの日本唯一の巨大産地として栄えた歴史があり、今でもその地域には、当時の「ベンガラ塗り」を施された赤い建物が立ち並ぶ。つい油断して壁などに服がついてしまうと、赤く染まってしまうのも、本物のベンガラが残る吹屋ならでは。全長1キロ弱の町並みは、「吹屋ふるさと村」として、「郷土館・旧片山家住宅」なども開放していて、建物は西から東へ、商家から豪商へと、その佇まいや様式にも風格が出てきて、そこを抜けると一般人が暮らした町家へと続く。「町家ステイ吹屋 千枚」は、古民家を再生した一棟貸しの宿。チェックインには、村長の戸田誠さんが立ち会ってくれ、言えば吹屋を案内してくれる。まずは、ベンガラの原料になる硫化鉄鉱石を採掘した「坑道」へ。その鉱石を焼成・煮沸するなどして主原料になる「ローハ」を生産し、それをもとにベンガラを製造していた「ベンガラ館」。そして、「広兼邸」や「旧吹屋小学校」など、観光地として歩いただけではわからない吹屋の魅力をたっぷりと教わった。朝食は、併設のカフェで、高梁紅茶など、「ベンガラ焼」でいただける。吹屋の村ぐるみの観光。(神藤秀人)

Machiya Stay Fukiya Senmai

1. An inn renovated from a Japanese traditional house in Fukiya, the biggest ***bengara***-producing area in Japan.

2. Managed by the village chief, lodgers will also get a tour around Fukiya.

3. The inn has a café called "Akari" and includes ***Takahashi*** red tea in their breakfast.

Fukiya was famous as the only region that produced huge amounts of *bengara* (red iron oxide) in Japan, and one can still see the red buildings coated with *bengara* here. Fukiya is the only place where the *bengara* will rub off onto your clothes if you're not careful. Machiya Stay Fukiya Senmai is an inn where lodgers rent the entire house. The village chief, Makoto Toda, checked me in and guided me around Fukiya. Our first stop was the Miner's Shaft, where rocks containing iron sulfide were mined. Next was the Bengara-kan Museum, where I got to know how the raw material for *bengara* was produced. I learnt a lot about the charm of Fukiya and *bengara* that I would never know if I just strolled around the "Red Town". My breakfast was served in *bengara-ware* in the café. This is a sightseeing tour of the entire Fukiya town. (Hideto Shindo)

牧大介

エーゼロ／西粟倉・森の学校

岡山県英田郡西粟倉村影石 895（旧影石小学校内）
Tel: 0868-75-3058
a-zero.co.jp
西粟倉ICから車で約3分

1. 過疎化する西粟倉村の暮らしを、持続可能なものにした中心人物。

「ローカルベンチャー」の提唱者であり、移住者・企業家を斡旋。
さまざまな雇用を生み出し、村の活性化に繋げた。

2. スギやヒノキの森林の価値を上げた、「西粟倉・森の学校」の代表。

木材を村内で製材・加工・商品化。価値を上げて、所有者へ還元。
「ユカハリ・タイル」「ヒトテマキット」「HAZAI MARKET」……

3. 農・林・水産業の枠を超え、地域資源の循環を目指す。

施設の燃料に「木質バイオマス」を使うなど、
旧影石小学校を利用した鰻の養殖、狩猟で得た天然のジビエなど、
森林から始まる地域資源の循環活動は、多岐にわたる。

ローカルベンチャーのすすめ　岡山県は他県に比べ、県外からの移住者の生活が目立っていたように思える。特に自給自足な暮らし方に、僕は憧れもした。それは、農家や漁師でもあれば、陶芸家やガラス作家、ビール醸造家など、みんな〝ものづくり〟の起業家たち。そんな岡山県の最北東・西粟倉村は、面積の95パーセントが森林の自然豊かな村。2004年には、いわゆる「平成の大合併」を拒否し、自立の道を選んだ強い理念も持つ。しかし、人口1700人（当時）の小さな村で、高齢化は35パーセント、しかも県内最低の財政力……そんな時に「地域再生マネージャー」として村と関わりがあった牧大介さん。2006年には初めてのベンチャーが誕生したことで、村は移住者を受け入れる風潮に変わったという。そこから村と共に「雇用対策協議会」を設立し、2009年には、牧さん自身も製材所「西粟倉・森の学校」を創設。通常丸太では採算の取れない木材を、製材し、加工し、商品化することで価値を上げた。村の掲げた「百年の森林構想」にも参画し、総合商社としての役割も持った。雇用を生み、移住者も増加。「地域とは総合的だ」と牧さんは言う。今では、ローカルベンチャー支援を軸に置く「エーゼロ」を立ち上げ、農業・林業・水産業の枠を超え、地域資源の循環を目指している。地方（ローカル）にこそ、新規事業（ベンチャー）のチャンスがあり、持続可能（サスティナブル）な暮らし方の手本があり、それを実践し、導いてくれる人。（神藤秀人）

A Zero / Nishiawakura Mori no Gakko
Daisuke Maki

1. Pivotal leader who offered sustainable lifestyles in Nishiawakura-son amidst population declines
2. Head of the Nishiawakura Mori no Gakko
3. Pursues healthy local resource cycles not broken up by industries

The village of Nishiawakura-son in northeast Okayama is surrounded by nature, 95 percent of its land covered in forest. Choosing to remain independent during municipal mergings of 2004, the village had a population of 1,700 (35 percent of whom were elderly) and the prefecture's weakest economy.That's when Daisuke Maki became the village's Regional Revitalization Manager to attract new residents. He later founded the Employment Measures Council, and in 2009 launched his startup Nishiawakura Mori no Gakko to cut, process and commodify lumber that had previously made little profit.Efforts by Maki and the region led to greater employment and influxes of new residents. Maki also established "A Zero," which focuses on supporting local startups, and he continues to pursue healthier local resource cycles. (Hideto Shindo)

EVERY DENIM

山脇耀平・島田舜介

Tel: 086-477-7620
岡山県倉敷市児島唐琴町（こじまからことちょう） 1421-26 (DENIM HOSTEL float)
everydenim.com
児島ICから車で約20分

1. 児島の“デニム文化”を、次世代へと進化させる実の兄弟。

若者を巻き込む、クラウドファンディングを使った新時代の働き方。47都道府県のものづくりの現場を自社に生かす姿勢。

2. オリジナルブランド「EVERY DENIM」代表。

綿の定番ストレートジーンズをはじめ、ナイロンのワークウェアや、キュプラのワンピースなど、デニムメーカー「株式会社ショーワ」などと共に新しいデニム製品を提案。

3. 児島の魅力を発信するホステルを自ら経営。

「EVERY DENIM」の直営店を併設し、畳縁（たたみべり）や襖（ふすま）など部屋の内装にもデニム生地を使う。

デニム兄弟の冒険　私が〝デニム兄弟〟と出会ったのは、まだ「EVERY DENIM」が拠点を持たず、全国各地でゲストハウスや店舗の間借りをしながら活動している頃。トークイベントなどでも頻繁に見かけるようになり、SNSには連日「デニム兄弟に会ってデニムを買った！」という歓喜の投稿が後を絶たず、新時代の予感に興奮した。「EVERY DENIM」は最初、兄・山脇耀平さんと、弟・島田舜介さんが、児島のデニム産業を発信するためのウェブメディアだったが、工場取材を重ねるうち、出会った職人たちと製品企画を行なうブランドに発展。クラウドファンディングなどを通した発信で、応援の輪が増幅していく中でも、あくまで対面販売にこだわり、一過性の話題に留まることなく〝岡山のデニム〟を根づかせていった。1年がかりの47都道府県を巡る移動販売の旅を通して、〝現場でものづくりに触れる〟体感をし、活動拠点として児島に「DENIM HOSTEL float」を開業。瀬戸内海の穏やかな波間に浮かぶ島々や、瀬戸大橋が目の前に広がる。デニムに染まった手作りの内装、ゆっくり試着ができるショールームもある。「児島ジーンズストリート」の散策や、「株式会社ショーワ」の工場見学もさせてもらった。以来、身の回りのさまざまなデニムを観察する目になった私。彼らは今日も、弾ける笑顔と大きな声で、児島の魅力を語り伝えているはず。産地の新たな熱源、若き情熱の次報に注目だ。（有賀みずき）

EVERY DENIM
Yohei Yamawaki, Shunsuke Shimada

1. Brothers striving to evolve Kojima denim culture for the next generation
2. Creators of the EVERY DENIM brand
3. They operate their own hostel designed to convey the best of Kojima

EVERY DENIM started as an online media by brothers Yohei Yamawaki and Shunsuke Shimada to promote the Kojima denim industry, and during factory visits they began developing brand product plans of their own together with producers they met. While promoting the brand and securing funding through crowdfunding campaigns and social media, they remained focused on a direct, face-to-face sales approach, slowly but surely fostering a permanent Okayama denim culture.After traveling all 47 prefectures of Japan for a year selling goods, they opened DENIM HOSTEL float in Kojima as their center of operations and a place where guests could have an interesting firsthand experience of denim production. Today, the brothers still enjoy telling others about the wonders of Kojima. They serve as new sources of youthful energy and drive for local industry. (Mizuki Aruga)

外村吉之介

岡山県倉敷市本町 4-20（倉敷本染手織研究所）
Tel: 086-422-1541
kurashikinote.jp/kh-product.html
倉敷駅から徒歩約15分

旅館くらしき
Ryokan Kurashiki
大原美術館
Ohara Museum of Art
滔々
toutou Kurashiki gallery and stay
429
22

1. 1953年「倉敷本染手織研究所」を開設した、“人生の先生”。

民藝館の研究所として、手紡ぎや本染め、手織りの技術を指導。
2020年で67期生。岡山県をはじめ、約400人が卒業。
生徒によって生産される「倉敷ノッティング」。

2. 米蔵を改築し、初代館長として「倉敷民藝館（みんげいかん）」を設立。

1946年、柳宗悦（やなぎむねよし）推薦のもと、大原總一郎に呼ばれ倉敷に移住。
岡山県民藝協会の創立に尽力。

3. 子どもたちに向けた“わかりやすい民藝運動”『少年民藝館』を刊行。

1973年には、若者に向けた「日本民藝夏期学校」を創設。

機織る伝道者　岡山県の人が、ここまで充実した暮らしをしているのには、自然災害が少ないだけでなく、それが気質として受け継がれているからのように思う。あたり前のように「美観地区」などを残した先人たちの功績も大きく、「倉敷ガラス」の器や「倉敷ノッティング」の椅子敷きなどが使用される上品で美しい暮らし。外村吉之介（とのむらきちのすけ）は、キリスト教の牧師として伝道活動をする傍ら、機織作家としても活躍した。1946年、柳宗悦の推薦もあって、倉敷に移住し、本格的に民藝運動に参画。岡山県民藝協会の創立に尽力し、日本で二番目の民藝館「倉敷民藝館」を創設。米蔵を再生した建築は、美観地区の町並み保存のきっかけにもなった。1953年、民藝館の付属研究所として「倉敷本染手織研究所」を、外村の自宅に開設し、民藝の講義と染織の技術を指導した。研究生は、1期最大9名。1年間、外村や他の研究生と、生活を共にしながら学ぶ。その〝世界一小さな学校〟は、2020年現在も続いており、毎年全国から入学希望者が絶えないという。機織りの指導は、41期生から石上梨影子さん（四男の妻）が引き継いでいる。当時は、まだ女性は家庭に入り、着物や、敷物、布団といった身の回りのものを、家族のためにつくっていた。本当に美しいものは暮らしの中にこそあり、その精神を広めていくこと。外村の願った生活は、研究生を通して、日本全国に浸透していく。倉敷をはじめ、岡山に訪れる全ての人に向けた、美しい暮らしの〝伝道者〟だ。（神藤秀人）

Kichinosuke Tonomura

1. A "life teacher" who founded the Kurashiki Dyeing and Hand-weaving Research Center in 1953
2. Renovated a former rice warehouse to create the Kurashiki Museum of Folkcraft, and became the first director
3. Publishes the ***Shonen*** Mingeikan (Kids' Museum of Folkcraft)

During his time as a Christian missionary, Kichinosuke Tonomura also worked as a weaving artist, exhibiting at The Japan Folk Crafts Museum. In 1946, with encouragement from Muneyoshi Yanagi, he moved to Kurashiki and joined the *mingei* traditional crafts movement.He founded the Okayama Prefecture Traditional Crafts Association and established the Kurashiki Museum of Folkcraft. The museum, housed in a renovated rice warehouse, was one of the first of many projects to preserve the Bikan Area. He established the Kurashiki Dyeing and Hand-weaving Research Center in his home in 1953, where he lectured on and taught traditional dyeing techniques. Tonomura wanted to fill his daily life with beautiful things, and also spread this way of thinking. His students would disseminate Tonomura's ideas throughout Japan. (Hideto Shindo) d 22

石川硝子工藝舎

石川昌宏

www.facebook.com/ishikawagarasukougeisya/

1. 岡山の定番ガラスを吹き続ける顔の見える作家。

「倉敷ガラス」の小谷眞三氏に学ぶ。
水差しや栓付偏瓶、剣先コップなど、倉敷を中心に、
さまざまな飲食店に置かれる「ハチミツ色」の唯一無二の定番ガラス。

2. 1995年岡山県へ移住。“移民”仲間たちの良き兄貴分。

本当の豊かさを考えるつくり手の会「くらしのものさし」主宰（2017年解散）。
2013年には、写真家の中川正子さんらと共に、
移住者の祭典『移民／IMMIGRANTS』を開催。

3. 元岡山県民藝協会理事。今の“岡山民藝”の中心人物。

「くらしのギャラリー」や「日本郷土玩具館」で
オリジナリティーあるイベントを開催。
吹業20周年には「倉敷意匠アチブランチ」とツアーグッズを制作。

ふつうじゃないガラス作家　僕が、自宅で最も使うガラスコップは、「石川硝子工藝舎」の石川昌浩さんのもの。お茶やジュース、珈琲やビール、日本酒まで使用頻度が高く、もうかれこれ15年は使っている。東京生まれの石川さんは、1995年に進学とともに岡山へ移住。大学在学中に、知人の家でふと出された「倉敷ガラス」に感銘を受けたという。それは、大学の指導教授であった小谷眞三氏のもので、形から表情までどの彫刻よりも美しく、何よりも無意識に日常にそれがある姿は「芸術のテロ行為」だったと語る。そして卒業後、1999年、ガラス作家として独立。193センチの長身に加え、下駄といった個性的な風貌だとしても、ここまでは〝ふつう〟のガラス作家かもしれない。だが、僕が注目したいのは、それからの石川さん。2011年に起きた東日本大震災は、本来あるべき暮らしとは何か?を問い、『手の長いおじさんプロジェクト』で、有志で被災地に器やガラスを届けた。2013年には、写真家の中川正子さんたちと共に移住者交流イベントを岡山市で開催。「タルマーリー」「蒜山耕藝」「bollard」など、今でこそこの土地を代表する〝移民たち〟も参加。彼は、そのことを特別なこととして僕に話したわけではない。ものづくりは、作り手自身がその土地に根ざすことが必要不可欠で、環境をつくることも仕事のうちだと言う。彼の生き方は、一貫して「人生」という工房を、岡山に構えた生活者のあたり前の姿なのだ。（神藤秀人）

Ishikawa Glass Kogeisha
Masahiro Ishikawa

1. An artist who carries on the tradition of glassblowing, an Okayama staple

2. Since 1995, Ishikawa has been a helpful leader and example to other local "immigrants"

3. He is the former director of the Okayama Prefecture *Mingei* Association

My favorite drinking glass is from Ishikawa Glass Kogeisha, made by Masahiro Ishikawa. I've used it for 15 years now. Ishikawa was born in Tokyo and moved to Okayama in 1995. As a university student, he was inspired when an acquaintance showed him a Kurashiki Glass cup. After the Great East Japan Earthquake in 2011, he began to question modern lifestyles, prompting his Te no Nagai Ojisan Project for donating glasses and dishware to disaster-struck regions. In 2013, Ishikawa hosted an event for people who had relocated to Okayama, which was attended by many now-famous locals. At the event, he said that creators should be rooted in their local community, that fostering one's own environment is part of the job. For Ishikawa, integrating work and personal life is only natural. (Hideto Shindo)

IDEA
R
LAB
バーナード・リーチ室

編集部が行く

編集部日記

神藤秀人（しんどうひでと）

Editorial Diary OKAYAMA MAP

1 2 3 4 5

Editorial Diary : Editorial Team on the Go

By Hideto Shindo

岡山県に入ったのがちょうど梅雨のはじめ。「晴れの国」といわれてきた地域だけあって、雨は降るもその降水量は少なく、ほとんどの人が傘をささずに街中を歩いていた。時々太陽の強い陽射しを受けながら、汗をかき、腕まくりして旅した約2か月間。夏はまだだというのにだいぶ日焼けもした。県外の人間からみて、岡山県といえば、まずは、「備中エリア」の倉敷美観地区を思い浮かべるだろう。白漆喰の蔵造り建築が残る美しい町並み。しかし、県庁所在地であり、果物や焼物の産地でもある「備前エリア」や、牛肉や酪農、林業が盛んな「美作エリア」まで大きく分けて3分割（正確には広島県の「備後エリア」も含めれば「吉備国」はコンプリート）。「晴れの国」だからこそ発展した唯一無二の個性は、広範囲にちりばめられていて、この旅で訪れるべき場所はたくさんあった。そんな岡山県の〝デザイントラベル〟を地域別にご紹介。

1 備前エリア

毎朝太陽を崇める面白い習慣を聞き、早速その「神道山」へ。黒住教の本部神殿「大教殿」がある山で、あいにくの雨だったがそれでも岡山にとって大切な個性でもあると感じた。堂々たる建築は、岡山県を代表する浦辺鎮太郎設計で、備前焼やアート作品が蒐集された宝物館「まることセンター」も併せて見学。桃太郎伝説ゆかりの神社「吉備津神社」もすぐ近くで、独特な「吉備津造り」の国宝建築を一度は見ておきたい。また少し離れるが、鬼が住んでいたという「鬼ノ城」も神秘的でお薦め。

岡山駅の東側は、岡山市出身のインダストリアルデザイナー・水戸岡鋭治氏デザインの路面電車が走り、バスやタクシーといった私営の交通網が発達していて、通勤や通学、観光にもよく利用されていた。そんな中、市民には鰻屋のようなロゴマークで親しまれている「宇野バス」の存在が気になった。他社広告がいっさい入っていないアーバングレーの車体は、街の景観を意識し、あえて主張しないデザイン。また、バスの現在位置がわかる『バスまだ』や、身近なバス停時刻を登録できる『じぶんバス停』など、時代に合わせたアプリ開発に、岡山大学などとの産官学協同事業で「岡山後楽園バス」を運行させるなど、独自の取り組みを行なっている。街の中心には、多くのバスが乗り入れるバスステーションがあるが、宇野バスは、本社併設の元証

When people think of Okayama, many will picture the Bitchu Area and Kurashiki's Bikan Area. But Okayama actually has three distinct regions: there's also Bizen, the seat of government known for its fruit and porcelain, and Mimasaka, famous for beef, dairy, and forest products.

1. Bizen Area

My journey began at Shintozan, where they have an intriguing custom of worshiping the morning sun. Atop this mountain stands the main temple of the Kurozumi sect of Shinto, a magnificent structure designed by Okayama icon Shizutaro Urabe that helps give the city its unique character. While there, I also visited the Marukoto Center and its display of Bizen ware and other artworks.

The tracks of streetcars designed by industrial designer and Okayama native Eiji Mitooka run along the east side of Okayama Station. The city is served by a network of private buses and taxis that commuters and tourists alike use to get around. I was taken by the Uno Buses, all urban-gray and ad-free, seemingly designed to draw attention to (→p. 073)

券会社の重厚な洋風建築のバスセンターに発着する。「日本最低運賃」を目指し（2020年現在183社あるうち2位）、「世の中のために」という〝まちの商店〟のような性格を持つ、県内でも孤高のバス会社。

せっかくなので、岡山駅から「岡山後楽園バス」に乗車し、日本三名園の一つ「岡山後楽園」へ。江戸時代初期に、岡山藩主・池田綱政によって造営された国の特別名勝で、「旧閑谷学校」と同じ、藩士・津田永忠設計。近隣には、前川國男設計の「岡山県庁舎」や「林原美術館」、岡田新一設計の「岡山県立美術館」や「岡山市立オリエント美術館」など、岡山城下周辺は名建築揃い。

画家・詩人の竹久夢二も岡山出身。挿絵や装丁、封筒や便箋、半襟や帯の図案など、庶民の日常の暮らしに芸術を取り込もうとしたデザイナーでもある。浦辺鎮太郎建築の「夢二郷土美術館 本館」は、創設50周年を記念して水戸岡鋭治氏の監修でリニューアル。第6展示室でもある「art café 夢二」でお茶ができる。

岡山県庁舎のそば、岡山の三大河川・旭川のほとりには、「畑でとれるアイスのお店 AOBA」がある。農業機械メーカーと共同開発したアイスブレンダーが、素材の良さをそのまま活かし、3つの層の新食感を生み出すのだが、とにかくいつ行っても目移りするほどの旬の果物や野菜が楽しい。「奥山いちご農園」の苺や、「番田芋の会」の紫芋、「果の実ファーム」の白桃、「MAKANAファーマーズ」の葡萄、「あっ！くん Farm」のアスパラ……どれを選んでも間違いないが、一つ一つ農家の情報が紹介されたカード「アイスの名刺」が貰えるのも嬉しい。行くたび食べるたびに、情報カードを集めたくなる工夫は、デザインと言える。僕はいつも2種類選んで、長閑な河川敷で味わった。

毎号〝その土地らしいグラフィック〟を表紙にしている本書だが、今回の「岡山号」はきびだんごで有名な「廣榮堂」の鬼の絵を採用。ご存知、絵本作家の五味太郎氏作だが、直営店限定の「むかし吉備団子」を、お土産として買うだけでなく、イートインもできる「中納言本店」。店に併設された「廣榮堂茶房 ひねもす」で、僕は日本茶セットをいただいた。建物全体を「koeido food design labo」と位置づけ、工房や茶室もあるなど、和菓子の未来を担っていきたいという決意ある店づくり。

ネルドリップで一杯一杯丁寧に淹れてくれる

blender codeveloped with a farm machinery maker to create three-layered ice cream treats from farm-fresh ingredients. At any time of year there is always a dizzying selection of seasonal fruits and vegetable flavors to choose from. The shop also offers a neat bonus with each order: cards that introduce whatever farm has supplied the ingredients for your ice cream. Sparking the desire to collect these cards is part of the shop's design.

Koeido Chunagon is a *kibi-dango* shop where you can not only buy the sweet dumplings to take home, but also eat in an annexed tea room called the Hinemosu tea room. I sat there and enjoyed some green tea with my dango.

Near Okayama Station is Orizuru, a coffee shop that roasts its own beans and hand-brews every cup using the nel drip method. I was greeted by owner Takao Fujiwara, who looked chic in his knit cap. He poured me a Bizen ware cup of rich, dark-roasted coffee, along with a chaser of less potent brew.

Asami Asai, of the ad agency Kokohore Japan, moved to Okayama in the wake of the Great East Japan Earthquake in 2011. When asked why she moved here, her (→p. 075)

自家焙煎珈琲店「折り鶴」は、岡山駅前。その佇まいは、街の喧騒から逃れるようにひっそりとあって、歩いていても、ともすれば見落としがちな間口の狭い煉瓦造りの建物。扉を開ければカウンター席のみで、奥に焙煎室が伸びる〝鰻の寝床〟のよう。ニット帽がお似合いの店主・藤原隆夫さんが迎えてくれる。深煎りの濃厚な珈琲を頼んだ僕には、お湯で薄めた珈琲をチェイサーに、備前焼のグラスに注いでくれた。生前交友のあった福岡県の「珈琲美美」の森光宗男さんの話をしたり、生粋の岡山人による手厚いおもてなしで、より岡山が好きになった。

岡山駅の西側、奉還町の名前の由来は、誰もが歴史の授業で習ったあの「大政奉還」にまつわる。1867年、江戸幕府一五代将軍の徳川慶喜が政権を朝廷に返上し、700年続いてきた武家政治が終わった時、職を失った日本中の武士に与えられた「奉還金」。それを元手に、この地で商売を始めたことがきっかけの奉還町商店街。大きく東と西に分けられ、全長およそ1キロメートルにも及ぶ。

まずは、広告会社「ココホレジャパン」を訪ねてみる。本書の巻末にある『47 REASONS TO TRAVEL IN JAPAN』コーナーに、いつも岡山県の情報提供をいただいているアサイアサミさん。彼女たちご家族は、2011年の東日

the scenery rather than themselves. Some services, like the Korakuen Bus, are delivered by the Industry-Government-Academia Collaboration that includes Okayama University.

Another Okayama native is painter and poet Yumeji Takehisa, who brought art into the lives of lay folk through illustrations, envelopes, stationery, kimono collars and belts. The Shizutaro Urabe-designed Yumeji Art Museum marked its 50th anniversary this year with a renovation led by Eiji Mitooka.

Near Asahigawa River, one of Okayama's three longest, is the "farm-to-table" ice cream shop AOBA. The shop uses a special

中世の商都彷彿
備前
福岡の市
第4日曜日
備前福岡
BIZEN FUKUOKA

本大震災をきっかけに岡山県に移住。なぜこの土地を選んだのか、と訊くとその答えはシンプル。安全・安心、過ごしやすいとインターネットで検索したら岡山県が候補として挙がった。今では、ママカリやフルーツ、うどんやアパレルまで岡山県を拠点に日本中のローカルの広告会社としても活躍している。

旅の間、お世話になった「KAMP」は、地元出身の北島琢也さんがオーナーのゲストハウス。週末のDJイベントだけでなく、美作市の「Oh! Ashi Forest」での音楽フェスなど、地元を楽しく盛り上げている。商店街の人気居酒屋「みつの」に行けば、いつも北島さんが呑んでて、僕も何度か混ぜていただいた。大好きで慣れ親しんだ町を廃れさせず、自分たちの手で未来へと繋いでいる。

同じくゲストハウスの「Guesthouse&Lounge とりいくぐる」は、その名の通り、鳥居をくぐって入る。元精肉店だった建物とその社員寮を改築し、建物の裏には畑や複合施設もあって、扱うものは違えど、当時の商売や生活を彷彿させる。また、商店街を少し東に戻ると「奉還町4丁目ラウンジ・カド」というコミュニティースペースもあって、『奉還町みんなのサロン』や『8ミリフィルム映像鑑賞会』など、奉還町の新しい文化拠点として活用されている。

瀬戸内市の牛窓は、オリーブの産地でもあり、日生と同じく牡蠣の養殖も盛ん。「牛窓オリーブ園」には、こんなところに?と、驚く立地のカフェ「山の上のロースタリ」がある。「キノシタショウテン」の珈琲焙煎所も兼ねており、窓からは瀬戸内海を一望でき、朝から清々しい珈琲をいただける。他にも県内には、ユニークな系列のカフェがあって、岡山駅前の髙島屋の婦人雑貨売り場や、備前焼窯元の玄関口・伊部駅舎内など、神出鬼没の珈琲屋。これからもどこにできるのか楽しみだ。

備前焼について学ぶなら、「備前焼ミュージアム」や「寒風陶芸会館」など、いくつか施設はあるにはあるけど、備前焼はやっぱり使ってみないとその良さはわからないだろう。茶色くて重くて高価で……なんか歴史的? そんな備前焼のイメージを覆す素敵な作家も増えていて、ぜひお気に入りの作家を探してみてほしい(p.108)。

吉井川のほとりで毎月第4日曜日に開催している「備前福岡の市」。今、地方の「市」というと多少の観光要素もあって、売り手(地元の人)と買い手(観光客)の間には一度きりの偶然の出

answer is simple: she did a web search for "safe" and "easy to live", and Okayama was what came up. Today, the agency does ads for a variety of Okayama businesses, and she makes her home nearby in Hokancho.

During my travels, I stayed at Kamp, a guest house run by local native Takuya Kitajima. Not only does Kamp boast live DJs on weekends, it livens up the whole neighborhood with events including a music festival at Mimasaka's Oh!Ashi Forest campground.

Nearby is the Torii Kuguru Guest House & Lounge, where a *torii* gate graces the entryway. The building used to be a butcher's shop and dormitory, and while its function has changed, it is still reminiscent of the life and business of a bygone age.

Yama no Ue no Roastery is located in an unlikely place —the middle of Ushimado Olive Garden. The café, which shares its space with the Kinoshita Shoten roastery, offers to start your day with refreshing coffee and a gorgeous view of the Setonaikai Sea. Cafés seem to pop up in unexpected places all over Okayama: there is one café in the (→p. 077)

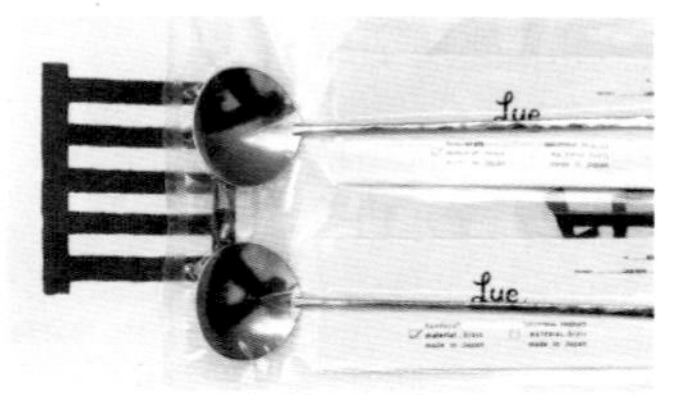

会いはあったとしても、そのあとの関係性は続きにくい。もちろん行動力のある売り手は、地方都市にも出店し再び繋がるかもしれない。鎌倉時代に始まったこの「備前福岡の市」は、時代とともになくなりずっと歴史上の話だった。2006年、そんな地域の文化を蘇らせようと「一文字うどん」の大倉秀千代さんによって復活。根底にある考えは、この土地らしい暮らしをつくり、守り、続けていくことにある。食べることから繋がる農業と地域社会を目指し、継続的に商品を購入することが、生産者を応援し、経済を盛り上げる。どうやら僕の思っていた観光地の「市」は、単なるイベントで、これが本来の「市」のあるべき姿なのだろう。僕は、地元の人に混ざって、「COLTRADA」のワインを購入し、「名刀味噌本舗」の甘酒コーラをテイクアウトした。

2 備中エリア 前編

い草の生産地であり、花ござ発祥の地でもある倉敷。「須浪亭商店」は、創業1886年。元々はござの製造を行なっていたが、現在は、い草を使った籠「いかご」を手作業で作っている。

expanded into new sales channels. His elders have kept him on his toes, and above all else his own curiosity has helped him grow.

Toru Mingeiten is the perfect place to learn about the region's traditional crafts. Masahiro Ishikawa of Ishikawa Glass Kogeisha was my guide. We visited Koubou Ikuko, where an exhibition of Asakuchi native lacquerware artist Akito Asagi had just begun, and the Japanese Folk Toy Museum, where I was greeted by the charming faces of little Kibitsu dolls. The tour ended at Osake to Obanzai Nono, where we ate and drank from Ishikawa's own glassware and swapped stories about Okayama.

3. Bitchu Area, Part 2

Starting with its tile-and-plaster *namako* walls, the Kurashiki Bikan Area is rich in design. Soichiro Ohara, son of Ohara Museum of Art founder Magosaburo Ohara, is a leading advocate for preserving this historic streetscape of buildings designated as Nationally Designated Important Cultural Property that attract crowds of tourists. I decided (→p. 079)

五代目の須浪隆貴さんは27歳。体の何倍もある織機を操り、経糸の間へ、素手でシャトル（緯糸）を左右に投げ通し、ガッチャンガッチャンとい草の生地を丁寧に織り上げていく。お祖母さんから学んだ技術を、自分なりに進化させ、販路も広げた。若いから何でもできるわけではなく、周りにいる倉敷を中心とした〝大人たち〟に揉まれ成長し、何よりも彼の好奇心が彼自身を成長させている。工房の土壁を自ら補修し、各地で蒐集した工芸品を並べ、時には『ポケモン』などのゲームもして、マーク・ニューソンの「バイオメガ」で颯爽と美観地区を駆け抜ける岡山県民藝協会副会長。そんな類いまれな若者との出会いが、倉敷の旅の始まりだった。

　須浪さんに連れられて巡った先は、倉敷帆布を利用した「BAILER」の岩尾慎一さん、同じくい草を材料に使う「倉敷緞通」の瀧山雄一さん、岡山のミツマタを材料にした「備中和紙」の丹下直樹さんなど。〝倉敷民藝〟と称されてきた岡山県を代表するものづくりの今は、〝デザイントラベル〟の視点で確かめるとまた違った見え方がしてくるのだから面白い。

　土地の個性から見てみると、まず「倉敷ガラス」とは一体何なのか。倉敷で作られるガラス製品の総称でもなく、倉敷自体がガラスの産地でもない。「民藝運動」を背景に、民藝で町を盛り上げようという動きの一環で、「倉敷民藝館」の初代館長の外村吉之介によって企画され、倉敷のガラス職人・小谷眞三氏が吹いた青い新しいガラスだ。それがのちに「倉敷ガラス」というブランド名として全国に知れ渡ることになり、〝倉敷民藝〟のブランディングにも一役買うことになった。本書の選定基準にあるように、「その土地らしい」か？　という点では、イコールではない。かといって間違いでもない。肝心なのは「なぜ？」という学ぶ意識であり、倉敷は、それを改めて気づかせてくれた土地でもあった。民藝のことなら、「融民藝店」に行けばこの地域の民藝品の取り扱いがあり、それぞれ詳しく教えてくれる。僕は、瀬戸内市に工房を構える「Lue」の真鍮のカトラリーを購入した。「民藝」といえば、『少年民藝館』（外村吉之介著）や、弊社が発行する『わかりやすい民藝』（高木崇雄著）も必読。

　「石川硝子工藝舎」の石川昌浩さんが作るガラスは、言うまでもなく「倉敷ガラス」ではない。しかしながら、彼は小谷氏に学んだという経歴があり、倉敷の近く（実際には岡山市）に工房を構えているからややこしい……（汗）いずれに

ladies' section of Okayama Station's Takashimaya department store, and another in Imbe Station, gateway to Bizen ware country.

The Bizen Fukuoka Market opens along the Yoshiigawa River on the 4th Sunday of every month. First held in the 13th century, the market was consigned to the history books for many years. But in 2006, Hidechiyo Okura, proprietor of Ichimonji Udon, revived it as part of efforts to preserve the local way of life. He wanted the medium of food to connect farmers and the community. Shoppers purchasing goods there help to support growers and inject life into the local economy.

2. Bitchu Area, Part 1

Igusa rushes used to make tatami mats and carpets are grown in Kurashiki. Founded in 1886, Sunami Toru Shoten once made *hanagoza*, but now specializes in handmade *igusa baskets*. Proprietor Ryuki Sunami, 27, is the fifth generation of the Sunami family to inherit the business. He put his own spin on the techniques he learned from his grandmother and

せよ石川さんという人物が魅力的だ。193センチの長身に加えて、下駄に麦わら帽子といった超個性的な風貌で、カランコロンと美観地区を一緒に歩いた。案内してくれたのは、ちょうど浅口市出身の塗師・赤木明登さんの個展が始まったばかりだった「工房イクコ」に、素朴な表情が可愛い「吉備津人形」に出会った「日本郷土玩具館」。元編集者のママが営む「酒とおばん菜 野の」では、石川さんのガラスで料理やお酒がいただけ、夜な夜な岡山県のことを語らったりもした。

3 備中エリア 中編

瓦と白漆喰で構成される「なまこ壁」が続くデザインの町「倉敷美観地区」。そんな倉敷の街並み保存を提唱したのは、「大原美術館」の創設者・大原孫三郎の長男、總一郎だった。国の重要伝統的建造物群保存地区でもあり、多くの観光客がこぞって集まる地区だが、ここではいくつか大原家にゆかりある場所を巡ってみようと思う。

1880年に倉敷の大地主・大原孝四郎の次男として生まれた孫三郎は、倉敷で薬種業を営む林源十郎などとの出会いによって、奉仕に目

museum includes not only traditional local crafts—Kurashiki knotting, Kurashiki glass, *hanagoza*, Bitchu *washi*, Hiruzen bulrush weaving, and Bizen ware—but also objects from throughout Japan and the wider world.

4. Bitchu Area, Part 3

Mosochiku is a fast-growing edible bamboo, harvested every five years. Most of the plant ends up being thrown away. It can be recycled, but that costs money, and many *mosochiku* stands have been abandoned because it was too hard to maintain them. Enter Teori, a company whose mission is to turn those unwanted leftovers into bamboo products like furniture and lacquer. The idea is to create a sustainable business that protects the local industry.

At the port of Uno, I boarded a ship for the nearby islands to catch the Triennial ART SETOUCHI Festival. If you want an early-morning island tour, get to Uno the day before and stay at the HYM Hostel in the Higashiyama Building. Once used as housing for port workers, the renovated building now offers shared office space for rent and sports a lively beer (→p. 081)

覚めていったという。木造3階建ての「林源十郎商店」は、当時の薬屋を改築し、「倉敷意匠アチブランチ」や「カフェゲバ」などが入る複合施設になっている。2階には、「林源十郎商店記念室」があり、その歴史もわかる。

大原美術館の斜向かい、「今橋」を渡ったところに建つ「有隣荘」。赤壁と緑の瓦が美観地区では異彩を放っているが、病弱な妻を気遣う孫三郎が建てた大原家の別邸だ。設計は美術館と同じ薬師寺主計をはじめ、デザインは高梁市出身の洋画家・児島虎次郎。春と秋には、大原美術館の『有隣荘特別公開』として作品を展示している。

美術館の中庭から望む、客船のようなデザインの「倉敷国際ホテル」。世界中から賓客を招待しようと總一郎が建設したホテル。設計は、「倉敷アイビースクエア」を筆頭に岡山県のさまざまな建築を手がけた浦辺鎮太郎。ロビーの吹き抜けには、棟方志功の『大世界の柵〈坤〉人類より神々へ』が飾られ、版画作品としては世界最大。宿泊してでも一見の価値は大いにある。

同じく浦辺鎮太郎が関わった「倉敷民藝館」。ここは米蔵を改築した、俗にいう古民家再生のはしりである。〝民藝のまち〟として倉敷を導い

to visit a few key places with connections to the Ohara family.

Magosaburo Ohara was born in 1880, the son of Koshiro, Kurashiki's biggest landowner. His friendships with local druggist Genjuro Hayashi and others opened his eyes to community service. Genjuro's old three-story wooden pharmacy has been converted into Hayashi Genjuro Shoten, a collection of shops. The Hayashi Genjuro Pharmacy Museum on the 2nd floor tells his story.

In front of the Ohara Museum of Art is the Kurashiki Kokusai Hotel, built by Soichiro to welcome international visitors. Resembling a cruise ship, it was designed by Shizutaro Urabe, whose works can be found throughout Okayama, notably Kurashiki Ivy Square. The lobby atrium is dominated by Shiko Munakata's "Daisekai no Saku (Ken): Jinrui Yori Kamigami E," the world's largest woodprint.

Also designed by Shizutaro Urabe is the Kurashiki Museum of Folkcraft. It's located in a converted rice storehouse, an early example of the current trend of renovating traditional buildings. Kichinosuke Tonomura, who helped Kurashiki become the "art town" it is today, was its first director. The

た外村吉之介が初代館長で、「倉敷ノッティング」をはじめ、「倉敷ガラス」「花ござ」「備中和紙」「蒜山がま細工」、さらに「備前焼」まで、県を越え日本を越え、世界中の工芸品が集まっている。ミュージアムショップでは岡山県の商品を中心に全国の商品を購入できる。美観地区という立地にあるからこそ、ネット社会の〝モノ離れ〟する若者も入館しやすく、この町の根底にある美しい物へのこだわりは、こういう場所から培われてきたのだろう。

美観地区は、大原家を中心とした町づくりとも言え、ふと入った喫茶店や蕎麦店なども、備品や調度品に他の地域にはないセンスを感じる。そんな見所満載の美観地区の中でも、最後の浦辺建築といわれる「エルミタージュ　リヴ・ゴーシュ」は、個人的にはお薦めしたい……

4　備中エリア 後編

タケノコの産地として知られる真備町。タケノコといえば、炊き込みご飯やお刺し身など、シーズン中には僕も目がない。そんな美味しいタケノコの産地の裏側には、長年悩まされてきた環境問題がある。成長の早い孟宗竹（食用のタケノコ）は、食べるためには適度に間伐、5年で伐採され、そのほとんどが廃棄物にされる運命で、一部では再利用されたりするそうだが、それには資金もかかる。時代とともに手に負えなくなった竹林は、やがて耕作放棄地に……そうした孟宗竹を、どうにかできないかと生まれたのが「テオリ」の竹のプロダクト。竹のしなりを利用した物や、竹の表皮からつくった塗料など、産地を守るためのサステナブルな理念がある。ショールームもあり、和食レストラン「Bricole」の椅子やカトラリー、「倉敷国際ホテル」のエレベーター前の姿見など、美観地区でよく目にした。

3年に一度の祭典「瀬戸内国際芸術祭」の会場になる島々へは、宇野港（岡山県唯一の島の会場「犬島」へは宝伝港）から船に乗る。朝から島を巡るなら、宇野港に前入りして、「東山ビル／HYM Hostel」に泊まろう。港の雑居ビルを改築し、シェアオフィスとしての賃貸もあり、夏には屋上でビアガーデンが賑やかだ。直島行きのフェリーの汽笛で眼が覚めるのも気分がいい。

児島には、僕が以前から好きだったアパレルブランド「KAPITAL」や、人生で最初にはいたジーンズ「ビッグジョン」もあって仕事を忘れ

R Lab, at the Material Library where the waste materials are stored.

Painter Torajiro Kojima, who helped found the Ohara Museum of Art, was a Takahashi native. His legacy lives on in the Takahashi Nariwa Museum, founded in 1953. The museum's current building dates to 1994 and was designed by Tadao Ando. Like other Ando buildings in Setouchi, its concrete walls blend harmoniously with the surrounding greenery.

Fukiya was once a thriving producer of bengara, an iron oxide pigment prized throughout Japan for use in porcelain and paint. Guests staying at Machiya Stay Fukiya Senmai can receive a tour of Fukiya landmarks like the old iron sulfide mine and the Bengara-kan museum from the village's mayor.

5. Mimasaka Area

The village of Shinjo is famous for its *gaisen-zakura* tree-lined streets, whose blossoms are truly a sight to see. Recently, many young people have moved to Shinjo and are working together to boost the local economy. Worth checking out is Sugaitei, a converted traditional house completed in 2019.

(→p. 083)

てよく出かけた。中でも銀行だった重厚な建物を改築した「WOMB BROCANTE」は、アンティークショップという枠では括れないほど、児島らしい土着的な要素も多く、天井高のある空間に融け込む商品の配置、音楽などセンスのいい緊張感が漂っている。繊維工場から出た作業台や道具などの中古家具から、「カセ糸」をリユースした照明などのオリジナル商品、デニムや帆布といったファッションアイテムも揃う。

岡山の県南は、海だった地域がほとんどで、倉敷美観地区もかつては海の中だった。また、「島」が付く地名が多いのも、その事実を指し示している。工場地帯の夜景好きに人気の「水島コンビナート」から、高梁川を挟んで反対側の港町・玉島ではユニークな活動がある。工場や店舗、アトリエや家庭から出る廃材を集め分類し、アートやプロダクトとして生まれ変わらせる「クリエイティブリユース」を軸とした地域づくりが始まっていて、僕は、その廃材の倉庫「Material Library」でお茶をして知った。主宰は「IDEA R LAB」の大月ヒロ子さん。定期的にワークショップなども開催しているようで、少し歩けばアパートの一室をコミュニティースペースにしたり、農園で取れた野菜などを調理したりするキッチンプロジェクトなどもあり、これからが楽しみな町。

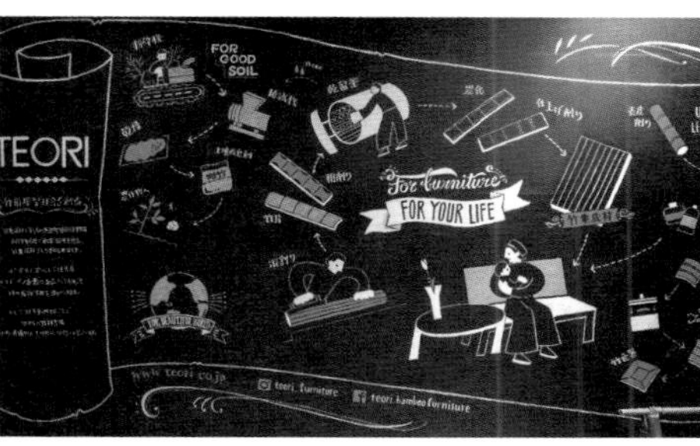

garden on the roof in the summer.

To call WOMB BROCANTE an antique shop fails to do it justice. Located in a stately former bank building, it wears its local colors proudly. The product displays blend seamlessly with the vaulted interior, while the music adds an air of excitement. The shop has everything from used furniture to fashion items in denim and canvas.

The port town of Tamashima engages in "Creative Reuse" to turn the community's waste into art works and other products. I discovered this project over tea with its leader, Hiroko Otsuki of Idea

KOJIMAP
児島のMAP、コジマップ。
Enjoy Kojima
domaine
tetta
WHAT WOULD PANDA DRINK?
Mis en bouteille au domaine tetta
Produit de Japon
KURASHIKI KOKUSAI HOTEL
KURASHIKI JAPAN
を撮る
BAILER
INUJIMA
SEIRENSHO
ART MUSEUM
INUJIMA
ART HOUSE
PROJECT
alimna
Mise en bouteilles
VILLAGE
2004 SPECIES
INUJIMA NOTE
YANAGI YUKINORI

○日本に伝わったのは……
○今は笑い話しだが……

「大原美術館」設立の中心人物、洋画家・児島虎次郎は、高梁市成羽町出身。彼の遺徳を顕彰するため、1953年に開館した「高梁市成羽美術館」。1994年には三代目となる建物が、安藤忠雄氏設計により開館。瀬戸内で見てきた安藤建築らしく、コンクリートの壁と周囲の緑が調和した美しい景観。

吹屋は、日本唯一のベンガラ（酸化鉄顔料）の巨大産地として栄えた歴史があり、有田や九谷の焼物類、輪島や山中の漆器類、そして神社仏閣の建物の塗料として日本中から重宝された。今でこそ生産は衰退を遂げ、観光地として多くの人が訪れているが、〝ベンガラ風〟ではなく、本物が残っている。誤って建物などに服が触れてしまうと、赤く染まってしまうので気をつけてほしい。材料の硫化鉄鉱を採掘した「坑道」や、ベンガラを生成する「ベンガラ館」など、一棟貸し宿「町家ステイ吹屋 千枚」に泊まれば、村長が案内してくれる。

5 美作エリア

「がいせん桜」並木が有名だという新庄村へ。5・5メートルおきに132本のソメイヨシノが咲く景色は、一度は見てみたい。そんな新庄村には、2019年に古民家を改築した宿「須貝邸」が完成。今では、地域おこし協力隊として移住してくる若者たちも増えている。岡山県は、ヒノキの生産量（丸太）が日本一。「hinoki LAB」の取り組みでは、伐採・植林・育成といった森のサイクルを守りながら製品を製造している。辺りを見回せば、広大な自然が広がっている。美しい黄緑色の田んぼの中には、もち米も育っていて、この地域の名物「ひめのもち」になる。日本ならではの風景を守ろうという、たくましい意志がある村。

真庭市には、版画寺こと「毎来寺」があり、この地域の和紙を使った版画作品を見学できる。また、住職の作品は、カレー屋「さん・はうす」で購入できる。カレー屋？　と疑問を持つかもしれないが、カレーはカレーで超絶品なのでぜひ味わってほしい。お薦めは、エビカツカレー。食事が終わったら、スタッフにお願いして（オーナーがいれば）、店の裏にあるギャラリーでオーナー自らが蒐集した全国の工芸品を見ることができ、気に入ったものがあれば購入もできる。僕は、せっかくなのでカレーをいただいた倉敷の「酒津焼」の器が欲しかったのだが、それは譲っ

At the curry restaurant Sun House, you can enjoy an *ebikatsu* curry and then (if the owner is around) tour the gallery in the back, which features the owner's personal collection of crafts from around the world. They're for sale if you fancy them.

The old Senkyo Elementary School building was built in 1907 in the *giyofu* style. It's notable both for its perfectly symmetrical white exterior and its well-preserved interior, which includes a stately two-layer coffered ceiling in the lecture hall.

Ningyo Pass in Kagamino was home to Japan's only uranium mine. The uranium mined here was used to make glass that glows spectacularly under UV light. If you'd like to learn more, visit the Yoseinomori Glass Museum to see "Golden Glow Light" train headlights, shaved ice cups, and other objects made from the glass.

Port Art & Design Tsuyama is housed in a renovated wood-and-brick bank, designated by the city as an Important Cultural Property. When I visited, it was hosting an exhibition by Bizen ware artist Koshu Okayasu, who is planning to spend time in the city as an artist in residence.

At the Nagi Museum of Contemporary Art, (→p. 084)

てもらえなかった（笑）。次は、何に出会えるのか、楽しみな店。
「旧遷喬尋常小学校」は、１９０７年に擬洋風建築の木造校舎として建てられ、完全なシンメトリーの白い外観が印象的。廃校になった校舎内はリノベーションというより、ありのままの形で保存し、特に講堂の二重折り上げの格天井は重厚な造り。「なつかしの学校給食」などの若者向けのイベントも開催していて、今もなお市民に開かれた学校だ。校章は、帆を張った「高瀬舟」で久世をデザインしている。
日本で唯一ウランが採掘されていた鏡野町人形峠。ウランガラスの美術館もあり、紫外線をあてると蛍の光のように発光する神秘的なガラスに心が奪われそうになる。この美術館で制作したオリジナルウランガラスは、あくまで身体には影響のない分量のウランを使用しているそう。ウランガラスは過去には「ゴールデングローライト」という名で機関車のヘッドライトに採用されたり、かき氷の器にも使われていたことも。興味のある人は「妖精の森 ガラス美術館」へ。
木造と煉瓦造りを併せ持った元銀行（市の重要文化財建築）を改築した「PORT ART&DESIGN TSUYAMA」。僕が訪れた時は、備前焼作家・岡安廣宗氏の個展が開催中だったが、作家が津山市に滞在し、地域との関係性を築くアーティストレジデンスなども企画しているという。本館ラウンジにはコーヒースタンドも併設していて、地元ゆかりの焙煎所の珈琲をいただける。聞くところによると、津山藩の藩医であった宇田川榕菴は、初めて「珈琲」という漢字を考案した蘭学者だったそう。
津山には、取材抜きでもまた行きたい「焼肉千恵」がある。ここでも、「毎来寺」の住職の作品に出会い、独特なカウンタースタイルで、〝一人焼き肉〟を満喫した。かつて「養生食」ともいわれた奥深い津山の牛食文化。
晴れた日に来れてよかった、「奈義町現代美術館」。『太陽』『月』『大地』と名づけられた３つの展示室から構成され、自然条件に基づいたこの土地ならではの作品が見られる。建築設計は、磯崎新氏。荒川修作とマドリン・ギンズ、岡崎和郎、宮脇愛子の４人の芸術家に制作依頼し、みんなで話し合い美術館として建築化。住民が利用できる図書館も併設し、那岐山を借景に緑豊か、敷地内にはレストランも。まさに「晴れの国」にふさわしい憩いの場だ。

founded as a joint project by artists Shusaku Arakawa, Madeline Gins, Kazuo Okazaki, and Aiko Miyawaki, you can view unique local artworks based on natural themes. The museum, designed by Arata Isozaki, is divided into three rooms, each with a different theme: Sun, Moon, and Earth. It also features a restaurant and a community library.

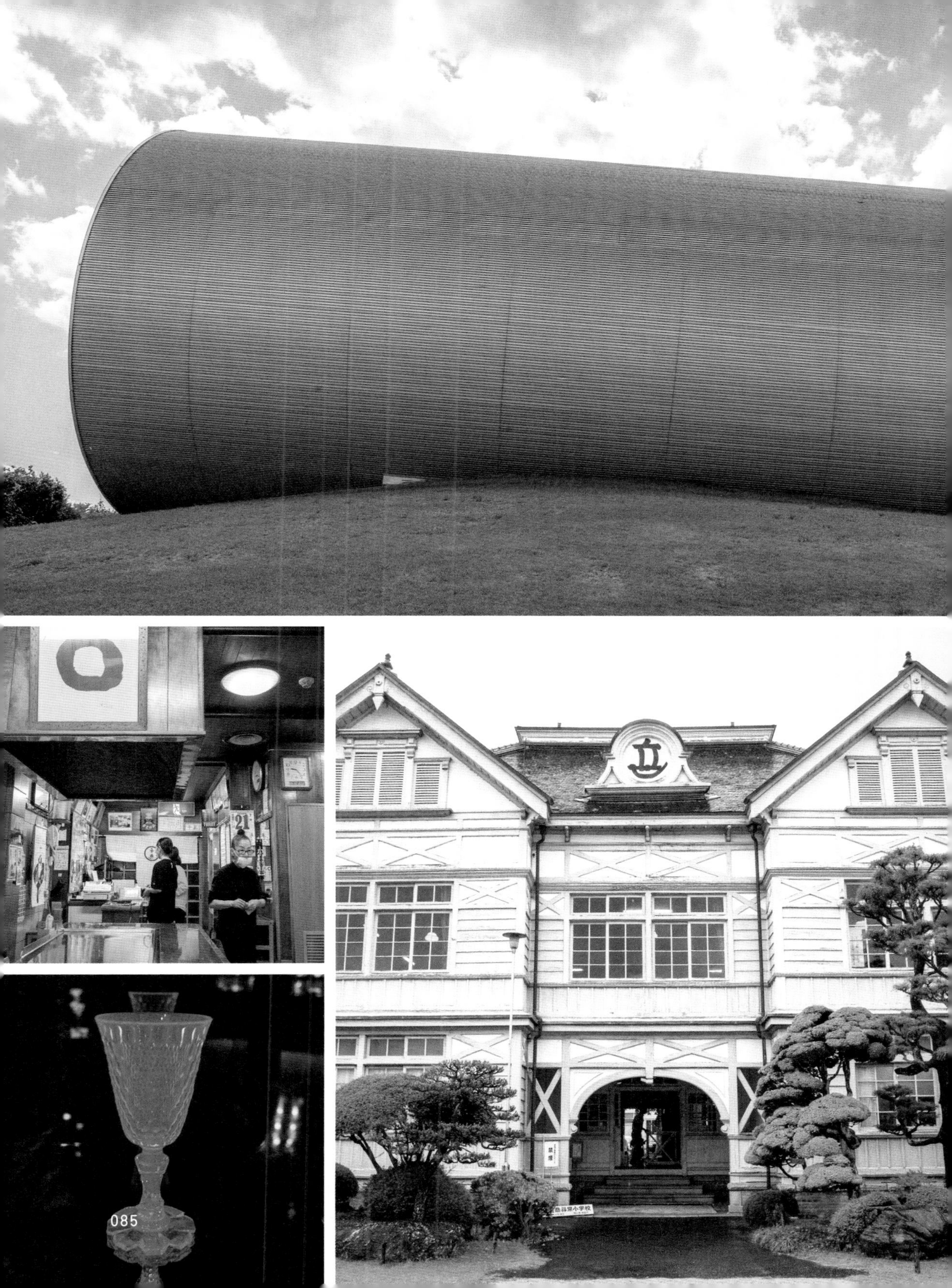

UNOBUS
宇野自動車株式会社

岡山県のロングライフデザインを探して

カモ井加工紙のマスキングテープ

前田次郎

Looking for Long-Lasting Design in OKAYAMA

Masking tape by Kamoi Kakoshi

By Jiro Maeda

mt

☎ 086-465-5800
（カモ井加工紙株式会社
「mt」プロジェクト事務局）
ℹ www.masking-tape.jp

雑貨店に並ぶ色とりどりのマスキングテープ「mt」。開発したのは岡山県倉敷市の「カモ井加工紙」だ。1923年に前身の「カモ井のハイトリ紙製造所」を創業。ハエの駆除が社会問題だった当時、創業者の鴨井利郎は海外製で高価だったハエトリ紙を国産化。1930年には天井から吊（つる）すリボン型を発売した。高度経済成長期の1962年、粘着剤の技術を自動車の塗装用養生テープに応用したのが、マスキングテープの原型となる。薄くて強い岡山県産の和紙製テープは、現場の職人たちに好んで使われた。文具や雑貨としての展開は皆目なかったというが、一般の愛用者の熱烈な提案を受け、2年の開発期間を経て2008年に発売。すると和紙の透け感を生かした20色のテープは瞬く間に大ヒットする。ギフトの装飾や手帳のカスタム、さらにはインテリアにまで、さまざまな用途が生み出されていった。毎年開催する工場見学「mt FACTORY TOUR」をはじめ、世界各地で展覧会やワークショップを開くのは、ファン同士の交流がテープの新しい可能性を生み出すからだという。小ロットでのオーダーメイドにも対応。使う人の数だけ用途が生まれるマスキングテープは、進化し続けるロングライフデザインだ。

Masking tape “mt” of various colors developed by Kamoi Kakoshi in Kurashiki City. In 1923, the founder decided to produce fly trap sheets in Japan as the imported ones were expensive. In 1962, during Japan’s high economic growth period, they applied the technology of adhesives on painter’s tape for automobiles, which became the prototype of their masking tape. The thin and strong tape made from Japanese paper in Okayama Prefecture became popular among the craftsmen. The “mt” was released in 2008 after a two-year development period in response to the enthusiastic proposal of its general users. And the 20-color tape that made the best use of the transparency of Japanese paper instantly turned into a big hit. The masking tape gave rose to various uses: decoration of gifts, customized notebooks, and even interior decoration. The company holds exhibitions and workshops all over the world, including factory tours every year, because the interaction with fans creates new possibilities for its tape. They also supply small lots of customized orders. Their masking tapes have an evolving long-life design where the number of uses increases with the number of users.

岡山県のファッションは今

時間や手間や愛情をかけて作るもの

重松久恵

OKAYAMA and Fashion Now

Products Slowly and Carefully Crafted with Love

By Hisae Shigematsu

重松 久恵　D&DEPARTMENTコーディネーター。函館生まれ。ファッション雑誌の編集、デザイン会社等でマネジメントの経験を積み、現在は商品開発のコーディネーターとして産地の活性化に取り組む。
Hisae Shigematsu　D&DEPARTMENT coordinator. Born in Hakodate. After working on the editorial team of fashion magazines and at design companies and gaining management experience, she is currently engaged in revitalization of production areas as a product development coordinator.

今は、岡山県の繊維といえばジーンズを思い浮かべるが、私の年代だと岡山県は学生服の産地のイメージが強く、初めて児島に行ったのも「ノートルダム清心学園」の制服のデザインを依頼された学生服メーカーのところだった。学園理事長をされていた渡辺和子さん（故）にお目にかかり、心を込めることや手をかける大切さの話を伺い感動したのを今でも覚えている。

岡山県の繊維産業の歴史を見ると、「真田紐」や「小倉帯地」から足袋、そして学生服・作業服の生産と生活様式の変化に合わせ、それまでに培ってきた技術を活かし発展していった。昭和には紡績から撚糸、染色、縫製という一貫生産体制も地場に形成され、学生服や作業服では全国の市場を独占した。合繊の学生服が導入されるようになり、今まで通り綿織物を生産していたところは、新たな道を探すしかなく、ジーンズの生産を始めたのが「マルオ被服（現在の株式会社ビッグジョン）」だった。アメリカのデニムを輸入し、1965年に自社で縫製し、販売したのが国内で生産されるジーンズの第一号となり、児島は「国産ジーンズ発祥の地」といわれるようになった。一時は合繊織物に舵を切った井原地区も綿織物を続けていた業者がデニムの国内生産を始め、今では井原のデニムは世界的にも高い評価を得られるようになり、「ジーンズのふるさと」といわれている。

現在、デニムの一貫生産ができるところは、児島に1社、井原に1社しかない。児島の「株式会社ショーワ」を見学させてもらった。高速織機のレピアの並ぶクリーンな部屋とは対照的に、ホコリだらけの豊田自動織機が何台も並ぶ場所は、違う時代に来たような錯覚さえ覚えた。中でも「GL-3」という機械で織られるデニムが人気で、この機械で作られるジーンズには「TOYODA G3」と表記される。ヴィンテージジーンズに最も近い生地感だそうで、触るとゴツゴツとした荒々しさが特徴だ。古い機械は残っていてもメンテナンスが大変で、動かすのに手間や労力がかかるとのこと。効率的に作ることを考えたら、早く簡単に織れる高速織

Okayama Prefecture's textile industry has grown and changed over the years, adapting to evolutions in traditional garb, student uniforms and workwear while advancing its technologies. In the early and mid-20th century, local factories integrated spinning, dyeing and other phases into a single production process, enabling their domination of the national market in their clothing categories.

Maruo Hifuku, now called BIG JOHN, pioneered jeans production following the introduction of synthetic fibers in student uniforms and workwear. They imported jeans from the United States, began producing their own in 1965, and were the first to sell made-in-Japan jeans domestically. Today, Kojima is known as the birthplace of Japanese jeans.

One company in Kojima and one in Ibara have sustained their jeans production traditions. We visited Showa in Kojima, whose "G3" jeans, which are machine-woven on TOYODA GL-3 equipment, are particularly popular. These vintage machines create fabric with a rough, coarse texture, and although newer machinery would make for much more efficient operations, many customers value the traditional (→p. 92)

機でいいのだが、昔の技術で作られるものに価値があると思うファンが求めるものを作るには、染色も織りも相当の時間と手間がかかる。専門の職人さんがいないとできない。ジーンズ業界の岡山県の位置づけは、生産量の高さではなく、素材、染め、織り、洗い加工で独自性、こだわりを追求する国産ジーンズの一貫生産地であり、海外では生産できない高付加価値ジーンズの産地である。

児島には「ジーンズストリート」という商店街があり、海外からも多くの人を集めている。児島ジーンズストリート推進協議会の会長で、「株式会社ジャパンブルー」の真鍋寿男さんに話を伺った。産地全体が良くならないと自分たちも生き残れない。「桃太郎ジーンズ」というブランドで積極的に海外戦略をするのと同時に、シャッター街になってしまった商店街を、わざわざ買いに来てもらうジーンズの街にと、商店街のオーナーや出店メーカーとの交渉に奔走した。真鍋さんはジーンズで起業する前は、さまざまな仕事に就かれたとのこと。以前の真鍋さんや、最近の「EVERY DENIM」のデニム兄弟のような新規参入者が、起業しやすいのもこの産地の特徴のように思えた。それは、ジーンズの生産工程のうち、紡績を除く工程が岡山県に全て揃っていて、ファスナーやボタンなどの付属類の供給体制も整っていることで、新商品開発に有利に機能している。同時に創業しやすくするための行政の支援体制もある。倉敷市では、ジーンズ関連で創業する人は、無料で縫製工程や技術・知識が学べる。また、倉敷市児島産業振興センターでは、デザイナーズインキュベーションがあり、工業ミシンが自由に使え、インキュベーションマネージャーによるビジネスサポートも受けられる。創業した後は、ジーンズストリートに出店することもできる。

倉敷市は国産帆布の7割の生産量を担う生産地でもある。デニムと同様、太番手の綿の織物である帆布を作っている「丸進工業株式会社」を見学させてもらった。ここでは、D&DEPARTMENTで取り扱っている「松野屋」のトートバッグ

production methods. Showa's careful dyeing and weaving processes are made possible by the skills of seasoned artisans.

Kurashiki makes 70 percent of Japan's canvas fabric. We visited local producer Marushin Industry, who makes products such as Matsunoya tote bags and Nychair X seat fabric, to find out more. Threads for both products were being woven by their machines during our visit, and we were impressed by the factory's 80-year tradition of producing sturdy, long-lasting fabrics. Their Kurashiki Hanpu brand is the culmination of decades of tireless efforts.

The Kojima Jeans Street shopping attracts visitors from Japan and beyond. In Kojima, we talked with Japan Blue's Hisao Manabe about local industry. While actively marketing their Momotaro Jeans brand overseas, Japan Blue has worked with local shops and manufacturers to make the local shopping arcade into a popular jeans-buying destination.

. Kojima is the ideal place to start a local jeans business or develop new products, as all processes except spinning can be completed in Okayama—right down to the zippers and buttons. The government even provides support to help new businesses.

(→p. 095)

JAPAN
THE MARK OF HIGHEST STANDARDS IN PRODUCTION AND QUALITY
LOT F147 W28 L34
G3
POWER ROOM
FOB FACTORY

綿畑

Slim Fit
BIG JOHN

や「ニーチェアエックス」の座面の生地が作られている。ちょうど両方とも糸が織機にかかっていて、丈夫で長持ちする強い織物が、このおよそ80年前から続く工場で一貫生産されていることに感動を覚えた。「倉敷帆布」のブランドを展開しているのは、創業130年の「株式会社タケヤリ」と関連会社である「丸進工業株式会社」が共同出資した「株式会社バイストン」だ。両社とも武鑓ファミリーがやっていて、「倉敷帆布」はこのファミリーが長い歴史の中で、築き上げた苦心と努力の結晶のように思えた。

学ぶという点では、倉敷市には入学まで3年待ちといわれる、女性だけが入れる小さな学校、「倉敷本染手織研究所」がある。指導をされている石上梨影子さんの話を伺った。1953年に「倉敷民藝館付属工藝研究所」として、外村吉之介さん（故）によって設立され、2020年で67回生、卒業生は400人を超える。研究生は他の研究生と生活を共にしながら染織の基本を学ぶ。外村さんがご存命の頃のままのお宅に1年間住み込み、最初のカリキュラムであるノッティングから最後の着尺まで、民藝の講義を受けながら学んでいく。家族のために作るものには欲がない、コストを下げるとか、売れそうなものを作るとかいう考えなしに、純粋にいいものを作ろうとする気持ちが大事だという。民藝運動の一環として作られたこの学校は、みんなが作れるようになってほしい、美しいものを使ってほしいという願いが込められている。今は人気のノッティングだが、もともとは織物の工程で出る短い残糸で作られていたので、糸の長さも切り揃えていなかったそうだ。石上さんの話を聞いているうちに、シスターの渡辺和子さんの姿と重なった。生活されている場所やおしゃべりもせずに、淡々と手を動かしている研究生を見ていると、まるで修道院のようで、ここは生活の仕方を学ぶところなのだと思えた。岡山のジーンズも倉敷帆布も、倉敷本染手織研究所で作っているものも、時間や手間や愛情をかけて作られているものだった。

Rieko Ishigami, an instructor at the small but popular women's school Kurashiki Dyeing and Hand-weaving Research Center, told us that they started as a crafts-center-affiliated research facility in 1953 founded by the late Kichinosuke Tonomura, and as of 2020 had seen 67 graduating classes with more than 400 total graduates. Students live together as they study the basics of dyeing, setting aside ideas of profit and gain in the pure pursuit of crafting beautiful things and developing their skills. In fact, the school was founded as part of the *mingei* movement.

Watching the students comfortably at work, not uttering a word as their hands moved, made us feel as if we were in a monastery. The school offers a prime example of how to live one's life.

BIG JOHN

岡山県のロングライフ・コーポレート・マーク　かわるかわらない

Long-Lasting Corporate Logo in OKAYAMA
(un-)changed

Big John Corporation

BIG-JOHN®

1967

1970

1980

2012

ITAL KOUNTRY
451 BOOKS

倉敷緞通

岡山県の"民藝"

「セルフメイド」な人々

高木崇雄（工藝風向）

Mingei (Arts and Crafts) of OKAYAMA

Self-made people

By Takao Takaki (Foucault)

高木 崇雄　「工藝風向」店主。高知生まれ、福岡育ち。京都大学経済学部卒業。2004年に「工藝風向」設立。柳宗悦と民藝運動を対象として近代工藝史を研究し、九州大学大学院芸術工学府博士課程修了。福岡民藝協会事務局。日本民藝協会常任理事。新潮社「青花の会」編集委員。

Takao Takaki　Owner of "Foucault". Born in Kochi and raised in Fukuoka. Graduated from Faculty of Economics, Kyoto University. Established "Foucault" in 2004. Conducted research on history of modern technical art with Muneyoshi Yanagi and folk art movement as the subjects. Completed the PhD program in Graduate School of Design, Kyushu University. Secretariat of Fukuoka Mingei Kyokai. The permanent director of Japan Mingei Kyokai. Editorial board member of Shinchosha "Seika no Kai."

岡山県において、場所や産品、誰か一人を指さして、これこそが〝民藝〟だ、と示すことは到底できそうにない。あまりにも多過ぎるのだ。ひとまず、岡山で最も民藝運動の盛んな土地、倉敷から検討を始めるとする。倉敷には、芹沢銈介が手がけた「倉敷中央病院」のステンドグラスや、棟方志功による「倉敷国際ホテル」の板画などもあるけれど、何よりもまずは、「大原美術館」を訪れなくてはなるまい。ここには工芸・東洋館が併設され、濱田庄司や河井寛次郎、富本憲吉やバーナード・リーチなどによる選りすぐりの名品が並んでいる。ひとえにこれは、創設者たる大原孫三郎に対する彼らからの深い感謝、そしてまた、大原美術館の館長として孫三郎を支えるとともに、自ら民藝運動に共鳴し、陶器館・棟方板画館・芹沢染色館（現在の工芸・東洋館）を順次設けた武内潔真による惜しみない働きから成立したとも言えるだろう。1943年、大原孫三郎の逝去にあたり柳宗悦は、

　述べるまでもなく私達にとっては深い恩人であった。民藝館が今日を得たのは、誠に大原翁の並ならぬ援助に浴したからであって、吾々は事毎にそのことを想い起こし、感謝の念を新たにするであろう。亡くなられた齢を新聞は「享年64歳」と報道していたが、私は最初10年の誤算かと思った。あれほど多くの社会的仕事をしておられるのに、未だ60代であったとは驚くほかない。何にしても大きな存在であった。[*1]

　と記している。大原孫三郎の息子、總一郎もまた大原美術館のそばに控える米蔵を提供し、日本で2番目の民藝館「倉敷民藝館」の設立に協力、後には日本民藝協会会長ともなる。また、倉敷民藝館の初代館長に就いたのは、外村吉之介。かつては牧師であり、また柳の甥・柳悦孝と共に染織を学んでいた外村は、「外村吉之介君が倉敷に移って以来、岡山県の民藝協会は俄然仕事を起こし、各方面に活躍し、その結果は程なく現れるであろう」[*2]と柳が語ったとおり、この地を拠点として「民藝」の普及、伝道に力を注いだ。また、ノッティング織の椅子敷きに代表される、染織りの仕事と技術、そして「民藝」の暮らしぶりを、後進に伝える仕組みとして「倉敷本染手織研究所」を残した。

In Okayama prefecture, it is difficult to say that a particular place, person or product is *mingei* (folk art), because there are simply too many. Let's start with Kurashiki, the place of the most active *mingei* movement in Okayama. Above all, you must visit the Ohara Museum of Art that showcases a selection of masterpieces by Shoji Hamada, Kanjiro Kawai, Kenkichi Tomimoto and Bernard Leach. It is said that the museum was established due to the artists' deep gratitude for the founder, Magosaburo Ohara, as well as by the generous work of the director, Kiyomi Takeuchi, who resonated with the *mingei* movement and set up a pottery hall, a Munakata woodblock print hall, and a Serizawa dyeing hall.

Ohara's son, Soichiro, also provided a rice granary beside the Ohara Museum of Art and helped establish Japan's second *mingei* museum, Kurashiki Museum of Folkcraft, and later became the chairman of the Mingei Association of Japan. Kichinosuke Tonomura, formerly a pastor and learnt dyeing and weaving from Yoshitaka Yanagi, became the first director of the Kurashiki Museum of Folkcraft. Tonomura (→p. 103)

I'd also like to include others who have each developed their own crafts here, such as the architect Shizutaro Urabe who was involved in the design of the Kurashiki International Hotel and Kurashiki Ivy Square, and dyer Samiro Yunoki, as well as Toshiko Taira, who learned dyeing and weaving from Tonomura in Kurashiki and devoted herself to reviving the textile art of *bashofu* in Okinawa··· but the list simply goes on.

Rather than naming their individual jobs, I'd prefer to find a keyword that illustrates how they have lived in Okayama ever since from the start of the *mingei* movement to the present. And a word immediately comes to my mind: self-made people.

Like Magosaburo Ohara, these self-made people have inquisitive spirits, are deeply convicted and rational, are not bound by the opinions of others, and contribute generously to the society the fruits of their hard-earned work so that it can be widely shared.

(→p. 104)

また、彼らと共に道を歩んだ杉岡泰が代表となり、設立された販売組織が、「くらしのギャラリー」として活動を続ける「岡山県民芸振興株式会社」。岡山ではこのお店に限らず、「融民藝店」の小林融子や、「Gallery ONO」の小野善平といった、「民藝」をものさしとして商いを営んできた配り手が今も睨みを利かせている。

作り手にも並々ならぬ人々が揃う。武内潔真の息子で陶芸の道に進み、独自のスリップウェアを創り出した武内晴二郎や、「倉敷ガラス」を生み出した吹き硝子の小谷眞三。彼らの息子たちもそれぞれに自身の仕事を深めているし、倉敷緞通や備中和紙といった土地の産業と結びついた独自の仕事もある。花筵の三宅松三郎商店は廃業してしまったけれど、い草で籠を編む須浪隆貴や、ユニークな活動と素直な硝子を日々吹き続ける大男・石川昌浩、静かで端正な硝子を吹く三宅義一、柔らかでありながら芯の通った家具を生み出す木工の松本行史、井原市の山中で木地を挽き、漆を塗る仁城逸景、といった若い作り手たちが着実に育っている。

他にも、倉敷国際ホテルや倉敷アイビースクエアなどの設計に携わった建築家の浦辺鎮太郎や染色家の柚木沙弥郎、倉敷で外村から染織を学び、沖縄で芭蕉布の復興に尽くした平良敏子といった人々がこの地でそれぞれの道を得たことは指摘しておきたい……いやはや、尽きることがない。人名を挙げていくだけでこの稿を終えることすら可能な土地、それが岡山だ。

ということで、彼らの個別の仕事を取り上げることよりも、ムーブメントとしての「民藝」が始まってから今に至るまで続く、岡山に生きる彼らの姿を示すようなキーワードを探してみたい。そうすると、すぐに浮かんでくる一つの言葉がある。「セルフメイド・マン Self-made man」だ。もとは19世紀のはじめ、アメリカ合衆国で作られた言葉で、科学者にして実業家、そしてアメリカ合衆国憲法の起草者の一人でもある政治家ベンジャミン・フランクリンのような、克己心に満ち、しかも社会に名を残した人を語る際に用いられる。のちには単に事業に成功した人や、「成り上がり者」といった悪口としても使われるようになってしまったが、もちろんそうではない。「わしの眼は10年先が見える」が口癖だったと

dedicated himself to disseminate and exhort *mingei* in this area. He also left behind Kurashiki Dyeing and Hand-weaving Research Center to propagate the work and techniques of dyeing and weaving (represented by knotting weaves) and the *mingei* lifestyle to the next generation.

Yutaka Sugioka, one of their fellow comrades, founded the KurashinoGallery that sells *mingei* works. This is not the only shop in Okayama; there are other players running *mingei* business such as Toru Mingeiten and Gallery ONO.

Exceptional creators abound as well; Kiyomi Takeuchi's son, Seijiro, studied ceramics and created his own slipware, and Shinzo Kodani, the glass blower who set up Kurashiki Glass. Even though the Miyake Matsuzaburo Store that sold patterned straw mats has closed down, other young creators continue to grow in this area: Ryuki Sunami who weaves rushes baskets, Masahiro Ishikawa and Yoshikazu Miyake who blow exceptional glass, carptener Takashi Matsumoto who creates flexible yet solid furniture, and Ikkei Ninjo who performs woodturning and lacquering in the mountains of Ibara City.

いう大原孫三郎のように、過去に、そして他者の意見に囚われない信念と合理性、そして探究心を保ち、しかも自らの力で摑み得た成果を惜しみなく社会に差し出し、広く共有され得るものにする人、それが「セルフメイド」ということだ。彼らは自分自身の能力を信じて各々の仕事を果たし、時によってはそれまで社会になかったような仕事すら生み出してしまう。たとえ先代から受け継いだ資産があったとしても、守りの姿勢を取ることなく、新たな道を見出し、未来を切り拓いてゆく彼らは常に「初代」なのだ。サン＝テグジュペリが、

建築成った伽藍内の堂守や貸椅子係の職に就こうと考えるような人間は、すでにその瞬間から敗北者であると。それに反して、何人にあれ、その胸中に建造すべき伽藍を抱いている者は、すでに勝利者なのである*3

と書いたように、まさに彼らは勝利者と呼ぶにふさわしい。

このような意味において、岡山で「民藝」と共に生きる人々は常に「セルフメイドな人々」ではなかったか、と僕は思う。そして、彼らが民藝運動に協力を惜しまなかった理由も、きっとここにある。「民藝」は、個人的な栄達や趣味への耽溺を求めるものではなく、社会を少しでも良い方向に変えることを志して始まった運動だからだ。これからも岡山の〝民藝〟は、彼ら「セルフメイド」な人々によって、常に新鮮なムーブメントであり続けるだろう。「ロングライフデザイン」がやはり未来を開くムーブメントであろうとするならば、僕らもまた、彼らと比して自らを省みなければなるまい。

（敬称略）

*1『工藝』114号編輯後記 p.108
*2『工藝』116号編輯後記 p.52
*3『戦う操縦士』堀口大學訳（新潮文庫）p.166
※*1、*2の原文は全て、旧字・旧かな遣い・旧漢数字

They believe in their own abilities as they work, and sometimes they even create jobs that have never existed in society. Even if they inherit assets from their predecessors, they are always the first generation who find a new path and open the door to the future without being possessive or protective.

In this sense, I think that the people who lived with *mingei* in Okayama were always self-made people. And there is probably a reason why they were dedicated to the *mingei* movement. *Mingei* was never an excuse to seek individual fame or indulge in hobbies, but a movement that started with the intention of reforming the society in a better way. And these self-made people will continue to ensure that the *mingei* of Okayama remains a novel movement. If the Long Life Design is to be a movement that opens the door to the future, we will need to reflect on ourselves compared to them.

*1. "Kogei" No. 114, afterword p. 108
*2. "Kogei" No. 116, afterword p. 52
*3. "Flight to Arras", translated by Daigaku Horiguchi (Shincho Bunko) p. 166

石川昌浩吹業廿年展
JAPAN TOUR
展示・即売　特別販売創草期の仕事
MASAHIRO
ISHIKAWA
20th anniversary
BLOWING
GLASSES
in
OKAYAMA
JAPAN
くらしのギャラリー本店於　2020年3月6日(金)→15日(日)
岡山市北区問屋町11-104　086-250-0947　11時-20時　火曜定休
主催　岡山県民藝振興株式會社
OKAYAMA PREFECTUAL MINGEI PROMOTION CO.,LTD
右

おかやまもの

〝その土地らしさ〟がつくるものたち

日本のものづくりには、長く続いていくものや、衰退してなくなってしまうものだけでなく、住民や行政の応援で復活するものや、移住者や若者の新たな視点でつくられる〝新名物〟もある。そんな岡山県の風土と土地があるからこそ、必然で生まれたものたちを、本誌編集部が、デザインの視点で再定義する、〝岡山県らしい〟ものづくり。

A Selection of Unique Local Products

The Products of OKAYAMA

Among traditional Japanese products, some have stayed around since eras long past, while others have become lost over time. Our Editorial Department aims to identify, and redefine from a design standpoint, the various Okayama-esque products that were born inevitably from the climate, culture and traditions of Okayama Prefecture.

ウランガラス
Uranium glass

人形峠産のウランで着色されたガラス。紫外線を当てると緑色に発光。

ヒノキの家具
Japanese-cypress furniture

林業の村・西粟倉村に植林されたヒノキを材料にした日本でも珍しい家具。

バイオマスエネルギー
Biomass energy

森林の間伐材を熱エネルギーに循環。温泉の加熱や、鰻の養殖にも活用。

焼き肉
Yakiniku (grilled meat)

養生のためにと牛肉食を許された津山藩。その名残もあり、焼き肉は絶品。

ばら寿司
Bara-zushi (raw seafood scattered over rice)

県南はほぼ埋め立て地。倹約令に反発して食べられたという隠し寿司。

津山箔合紙
Tsuyama hakuaishi paper

地域のミツマタが原料。金箔を挟んで保管するための上質な手漉き和紙。

倉敷緞通
Kurashiki rugs

裏地に名産のい草を使用した金波織。和洋折衷の建物に合うように考案。

フルーツ
Fruit

岡山県は"晴れの国"。白桃やマスカットなど果物が崩れずによく育つ。

雄町米
Omachi rice

酒造りに適した岡山県発祥の米。温暖な気候と水の豊かさにより実現。

備前焼
Bizen ware

備前の土のみで、釉薬を使用せず、登り窯で長時間焼き締めて作る陶器。

虫明焼
Mushiake ware

岡山藩筆頭家老、伊木家の領地でお庭焼としてこの地で作られた焼物。

小麦粉
flour

瀬戸内で栽培されてきた無農薬の小麦粉。うどんやお菓子やビールにも。

牡蠣
Oysters

プランクトンが多い瀬戸内の海流で、大粒に育つ牡蠣。広島に並んで産地。

ママカリの酢漬け
Pickled mamakari (Japanese sardinella)

瀬戸内エリアの「ママカリ(関東ではサッパという)」を使った郷土料理。

倉敷ノッティング
Kurashiki knotting

ベンガラや藍などで彩った美しい模様の椅子敷き。倉敷民藝の金字塔。

帆布
Canvas fabric

元々は「船の帆」として開発された、綿生地の中でもっとも堅牢な生地。

郷原漆器
Gobara lacquerware

蒜山のヤマグリを乾燥させずに木地挽きし、「備中漆」を使用した漆器。

蒜山ジャージー
Hiruzen Jersey cattle

「ジャージー牛」飼育頭数日本一の岡山。濃厚でコクのある乳製品がある。

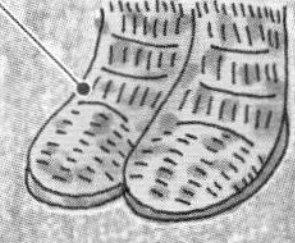

がま細工
Gama-zaiku woven cattail-plant ware

蒜山高原の湿地に自生する「がま」が素材。古くから雪靴や蓑、笠に使用。

ひめのもち
Hime-no-mochi rice cakes

ブナの原生林の湧水と、肉用牛の堆肥で育った餅米を原料にした名産品。

ヒノキのアロマ
Japanese-cypress fragrances

ヒノキの生産日本一の岡山県。伐採と植林のサイクルに合わせて精油を行なう。

勝山竹細工
Katsuyama bamboo ware

周辺に生える真竹を使用した製品。青竹の状態を生かしたデザインが特徴。

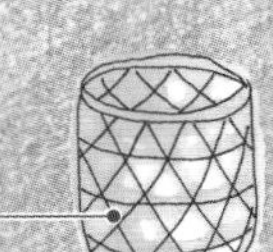

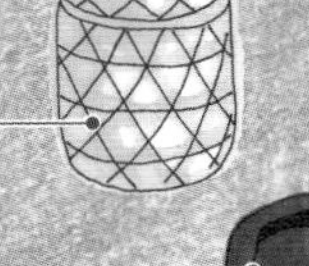

きびだんご
Kibi-dango (glutinous-rice-flour dumplings with proso millet added for flavor)

原料に使用される"キビ"と、地名の"吉備"をかけてできた岡山銘菓。

高田硯
Takata inkstones

原料は真庭市で採れる黒色粘板岩。原石の形を生かした緩やかな曲線。

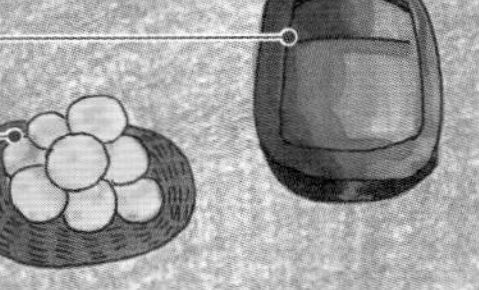

ワイン
Wine

食用の葡萄の耕作放棄地を再生。石灰岩質の土壌で、ワインづくりも盛ん。

備中神楽面
Bitchu kagura shinto-ritual masks

高梁市の郷土芸能「備中神楽」で使われるお面。表情もさまざまある。

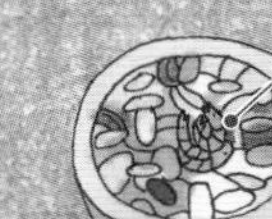

孟宗竹のプロダクト
Moso bamboo products

真備町のタケノコ作りで出る間伐材の孟宗竹を集成し再利用した製品。

ベンガラ製品
Bengara (red iron oxide) products

吹屋で採れたベンガラ(赤い染料)は、焼物の絵付に欠かせない天然顔料。

倉敷はりこ
Kurashiki papier-mache

人形師・生水多十郎が、子の誕生を祝って作った「虎」。県の伝統的工芸品。

い草の製品
Rush products

塩分の多い干拓地・早島で盛んに栽培。畳や花むしろ、かごなどを生産。

備中手延べ麺
Bitchu handmade noodles

熟成と延ばしを繰り返し、24時間以上かけて製造した岡山の美味しい麺。

備中和紙
Bitchu washi traditional paper

温暖で日当たりの良い環境で育つ「ミツマタ」を原料に復活した和紙。

倉敷ガラス
Kurashiki glass

「民藝運動」の一環から、小谷眞三氏により作られた倉敷独特の吹きガラス。

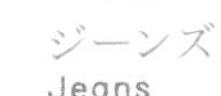

畳縁
Tatami mat edge borders

真田紐の織物業から発展。倉敷の名産・い草を使った畳の重要なパーツ。

ジーンズ
Jeans

繊維の町・児島。学生服製造の傍ら、委託生産を開始したのがはじまり。

真田紐
Sanada braided cords

児島で綿の栽培を始めた頃に製造。平たくて幅のある"織物"。

学生服
Student uniforms

海も近く、繊維業が発展し、量産が実現。庶民含め、幅広く普及した学生服。

岡山のものづくりを楽しむ

備前焼

備前の土、備前の地で器をつくる作家4名を紹介します。

写真　山﨑悠次

Shota Terazono
寺園証太
（GUMBO CERAMICS）

リム皿
7,700円 24cm
Rim plate

木村肇（一陽窯）
Hajime Kimura (Ichiyougama)

フードコンテナ 11,000円
直径 10.5cm 高さ6.5cm
Food container

Enjoy the craftsmanship of OKAYAMA

Bizen ware

Showcasing four works by artists in Bizen, crafted from Bizen clay

Photo : Yuji Yamazaki

森本仁

Hitoshi Morimoto

白花四方皿 8,800円 21cm
Square plate with white flowers

安藤騎虎（鳴瀧窯）

Kiko Ando（Narutakigama）

トリプルちょこ 6,600円
直径8cm 高さ6.7cm
Set of 3 sake cups

編集部が取材抜きでも食べに行く店

岡山のうまい！

さすが〝晴れの国〟、とでも言うべきか、素材自体が新鮮で、何を食べても美味しかった岡山県。B級グルメも食べに食べて、郷土料理探しには苦戦したけど、これだけは紹介したい絶品料理。そんなデザイン度外視、岡山県の〝うまい！〟を、一挙9品ご紹介。

Favorite Dishes From OKAYAMA

Okayama is known as "the land of sunshine," and even its cooking ingredients are bright and fresh. Although we spent a lot of time searching for traditional cuisine, we also came across a great number of tasty *b-kyu* selections—cheap but tasty foods. These are nine of our favorite Okayama dishes.

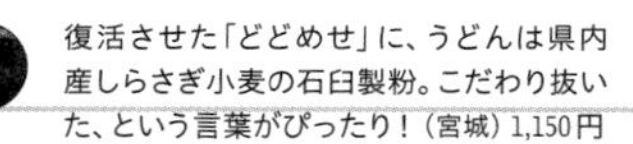

1 FAVORITE しらさぎ小麦うどんのどどめせ定食

Shirasagi wheat udon noodle dodomese meal set

復活させた「どどめせ」に、うどんは県内産しらさぎ小麦の石臼製粉。こだわり抜いた、という言葉がぴったり！（宮城）1,150円

備前福岡 一文字うどん　岡山県瀬戸内市長船町福岡1588-1　0869-26-2978　10:00–15:00（金土日祝は19:00まで）　水曜休、第1･3火曜休　ichimonji.ne.jp　Ichimonji Udon　fukuoka 1588-1, Osafune-cho, Setouchi, Okayama　10:00–15:00（closes at 19:00 on Fridays, Saturdays, Sundays,and national holidays）Closed on Wednesdays, 1st & 3rd Tuesdays of the month

2 FAVORITE サンセット

Sunset

もはや児島のランドマーク的「レモン」。豪華なモーニングも相まって、朝から児島を楽しめました。（有賀）792円

サンレモン　岡山県倉敷市児島小川5-1-1　086-472-5281　8:00–20:30（L.O.19:30）木･金曜休　Sun Lemon　Kojima-ogawa 5-1-1 , Kurashiki, Okayama　8:00–20:30（L.O. 19:30）Closed on Thursdays, Fridays

3 FAVORITE エビカツカレー

Breaded, deep-fried shrimp and curry with rice

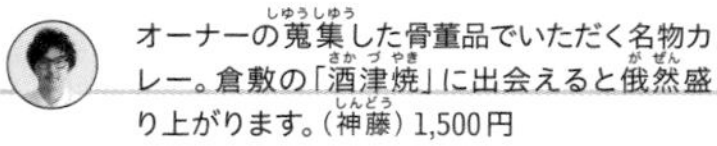

オーナーの蒐集した骨董品でいただく名物カレー。倉敷の「酒津焼」に出会えると俄然盛り上がります。（神藤）1,500円

さん･はうす　岡山県真庭市目木1948-1　0867-42-3378　10:30–15:30　月･火曜休　Sun House　Meki 1948-1, Maniwa, Okayama　10:30–15:30 Closed on Mondays, Tuesdays

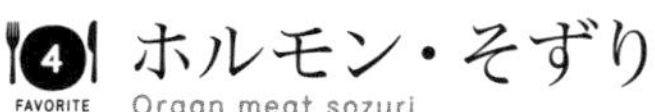

4 FAVORITE ホルモン・そずり

Organ meat sozuri

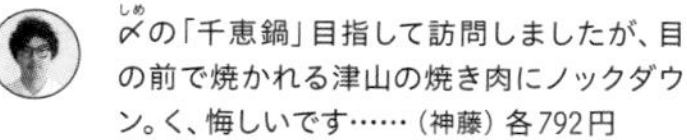

〆の「千恵鍋」目指して訪問しましたが、目の前で焼かれる津山の焼き肉にノックダウン。く、悔しいです……（神藤）各792円

焼肉千恵　岡山県津山市小性町39　0868-25-2929　11:00–14:00、17:00–21:30　月曜休　Yakiniku Chie　Kosho-machi 39, Tsuyama, Okayama　11:00–14:00, 17:00–21:30　Closed on Mondays

5 FAVORITE アイス ダブルカップ
Double-scoop ice cream cup

どれをチョイスしても絶品。一品一品、果物・野菜農家の情報カード「アイスの名刺」がもらえるのも嬉(うれ)しい。(神藤) 630円〜

畑でとれるアイスのお店AOBA　岡山県岡山市北区内山下(うちさんげ)1-15-10　☎086-206-4740　12:00–17:00(金〜日曜、祝日は18:00まで)　aoba-ice.jp "farm-to-table" Ice Cream Shop AOBA　Uchisange 1-15-10, Kita-ku, Okayama, Okayama　12:00–17:00 (closes at 18:00 on Fridays, Saturdays, Sundays & holidays)

6 FAVORITE 名代(なだい)とんてい
Famous deep-fried pork cutlet meal set

開店前からの行列に驚き！　腹ぺこ状態、夢中でボリューム満点の"デミカツ"を平らげました。(有賀) 1,400円

かっぱ　岡山県倉敷市阿知2-17-2　☎086-422-0440　11:20–14:00、17:00–19:30　月曜休(祝日の場合は翌日休)　Kappa　Achi 2-17-2, Kurashiki, Okayama　11:20–14:00, 17:00–19:30 Closed on Mondays (or Tuesday if a holiday falls on Monday)

7 FAVORITE バーベキューコース
Barbecue set

いつ行ってもフェスのような空気に包まれ、オーナーによる炭火焼きバーベキューが最高すぎ！(神藤) 3,850円

ルーラルカプリ農場　岡山県岡山市東区草ケ部(くさかべ)1346-1　☎086-297-5864　10:00–17:00　不定休　yagimilk.com　Rural Caprine Farm　Kusakabe 1346-1, Higashi-ku, Okayama, Okayama　10:00–17:00　Irregular business holidays

8 FAVORITE The Inland Sea
The Inland Sea

瀬戸内海の味がするというクラフトジン。編集長が独占飲酒しましたが、うまい！に決まってる。(有賀) 900円

KAMP Backpackers Inn & Lounge　岡山県岡山市北区奉還町3-1-35 1F　☎086-254-1611　11:00–23:00　無休　kamp.jp
KAMP Backpackers Inn & Lounge　Hokan-cho 3-1-35 1F, Kita-ku, Okayama, Okayama　11:00–23:00 Open every day

9 FAVORITE 石もち
Indian perch

小さな揚げた「イチモチ(魚)」に甘辛いたれが絶妙に絡みつく。無限に食べ続けられる危険な逸品。(相馬(あいま)) 600円

郷土料理 竹の子　岡山県倉敷市阿知(あち)3-12-10　☎086-425-7720　17:00–23:00(L.O.22:30)　日曜・祝日休　kurashiki-takenoko.jp　Takenoko　Achi 3-12-10, Kurashiki, Okayama　17:00–23:00(L.O. 22:30) Closed on Sundays & holidays

倉敷
YOUT
HOST

NOGUCHI
イサムノグチ

岡山県の〝奇跡のような活動〟

サステナブルな村

神藤秀人

"Miracle Project" in OKAYAMA

Sustainable Village

By Hideto Shindo

地方の平均化

岡山市市街地を南北に伸びる、長さ約2・4キロメートルの〝緑の回廊（西川緑道公園）〟を歩く。日本中の地方都市は、どこも代わり映えのしない商業施設が立ち並び、空に掲げた巨大な広告が残念にも感じていて、このような自然が残った場所に来るだけで、僕たちはほっとする。休みの日には、釣りやバーベキュー、山登りやキャンプなど、あえて都会から離れて過ごす人々も多い。最近では手ぶらで優雅なアウトドア体験ができてしまう「グランピング」など、自然の中に利便性を求めるという都会人が考える〝現代の自然〟も増えてきている。国土の約3分の2が森林という、ただでさえ豊かな自然に囲まれている日本だが、それでも人々の多くは、進学や就職で都会へと出て行く。まず、その理由には以下の2つが挙げられる。一つは、森林という自然の資源が、ただの風景（所有者が不明）になってしまっていて、貴重なはずの木が厄介者にされてしまっている。もう一つは、そこに若者たちの雇用（やりたいこと）がないこと。どちらも、全国の森林の多い地域では、他人事とは思えないことだろう。ここ「西粟倉村」も、かつてはそんな問題に直面していた村だった。しかし、2020年現在、村は変わった。移住者による起業、そして子どもが増え、全国からも地方創生の視察者が多く訪れている。一体、この村に何が起こったのか。自然と人間とが共生し、これから50年、いや100年先を見据えた持続可能（サステナブル）な暮らし方とは何なのか。それは、僕たち自身の生活のヒントにもなり得る、奇跡のような暮らし方だった。

観光地でもない村

西粟倉村は、岡山県の北東の端、鳥取県と兵庫県に隣接する人口1600人ほどの小さな村だ。村の95パーセントが森林、そのうち84パーセントが人工林で、昔から林業に支えられてきた村だった。辺りを見渡せば、スギやヒノキに囲まれていて、車を走らせれば、「若杉天然林」の遊歩道も近く、山からは瀬戸内海まで望め、良質な天然温泉も湧く、岡山でも指折りの美しい自然に溢れている。しかし、そんな村でも財政は厳しく、「ばら寿司」や「備前焼」というような郷土料理や名産品の観光資源も少なく、移住者はおろか、観光客すら訪れないような村。

A new standard for regional areas

About two-thirds of Japan is covered by forest, but many Japanese gravitate to city areas for school or work. This is the result of perceiving our forests as scenery (without clear ownership) and its valuable trees as obstacles, and the result of youth finding no incentives (jobs) there. Both are sensitive issues for communities in lushly forested regions. Nishiawakura-son also faced this issue, but now in 2020, the village has changed. New residents have launched new businesses in the village, and many visitors from all over the country visit the village to learn more about regional revitalization.

A village lacking tourist attractions

On the fringe of north-east Okayama is Nishiawakura-son, a village of about 1600 people. It is 95% forest, of which 84% is man-made: forestry has been its key industry. In 2004, national measures against rural underpopulation and aging almost led to merging the village with its neighboring Mimasaka, but its leader and 60% of residents (→p. 119)

２００４年には全国各地で過疎化や高齢化が進む中、とうとう国策として美作市との合併を求められた。しかし、当時の村長をはじめ、村民の約６割が反対し、合併を拒否。村を立て直そうと、自立の道を選んだ。

森林と共生する村

２０２０年の初夏、僕は、西粟倉村を訪れた。村に入ると、まず目に止まったのが、スギやヒノキを建材にした新築のデザイン建築。訊くとそこは、村で唯一の保育園「にしあわくらほいくえん」。正直、園児には贅沢過ぎるのではないか、と思うほど立派な佇まいで、保育士の人もどこか誇らしげにも見える。園児たちには、自然を敬い、自然から価値や恵みを見出し、森と人との関わり方を多様な視点から学んでほしい、という願いがある。そのためには、村の木材はもちろんのこと、村の人材や技術、エネルギーなど、「オール西粟倉」をコンセプトに、この場所でしかできない新しい子育ての場を設計。冬には、木の製材時に出る廃材などを使った「木質バイオマス」による熱エネルギーによって、夏には、敷地内に新しく掘った井戸の地下水によって空調を賄い、自然共生の自立循環型エネルギーシステムを実現。建物自体が〝教科書〟になればと考えられている。

そして、同じく新築の木造建築「あわくら会館」。駐輪場にも村内の木材が使われる徹底ぶり。「あつまる、つながる、やってみる」をビジョンとする生涯学習施設と図書館から成る複合施設で、ワークショップで村民の意見を反映しながら生まれた場所。木工家具メーカー「木薫」や「ようび」などの家具を配置し、天井高のある多目的ホールなど、さまざまな村の活動の中心地にしていくそう。セルフカフェコーナーもあり、村外の人もくつろぎながら西粟倉村の木でできた家具を試してもいい。それにしても、ヒノキやスギならではの森の香りが心地いい空間だった。

村内にある天然温泉「あわくら温泉 元湯」も、燃料に「木質バイオマス」を使用し、村で初めて「薪ボイラー」を実現した施設。「ようび」の椅子や、湯船に浮かぶヒノキの香りが、たとえタイル張りの浴室だとしても、森林と共生する経営者の思いを感じる。また、「元湯」は、小さな子どものいる家族も宿泊できるゲストハウスでもあり、２０１５年にできた新しい宿泊施設。

lumber and cooled by groundwater from a well.
Another, the AWAKURA-KAIKAN complex, has a lifelong learning center and a library designed using ideas from residents. It features wooden furniture by local manufacturers including Mokkun and Youbi.
The natural hot springs facility Awakura Onsen Motoyu was the first in the village to install a wood-fueled biomass boiler. The coexistence with the forest was clear from the scent of cypress coming from Youbi chairs and the woodchips in the baths.

Making forests worthwhile

Nishiawakura-son grows mostly cypress and Japanese cedar, a legacy planted for them after the war. The trees would be enormous by now, but this is a forestry. Forests are regularly thinned to ensure trees have enough sunlight to grow thick and strong before they are felled and sold on the log market. The log of a 4m (16.4 feet) cedar tree will sell for ¥3000, but if you deduct costs for logging and transport etc., the forestry will receive ¥500 -astonishingly low value for the time and care spent on these trees.

(→p. 120)

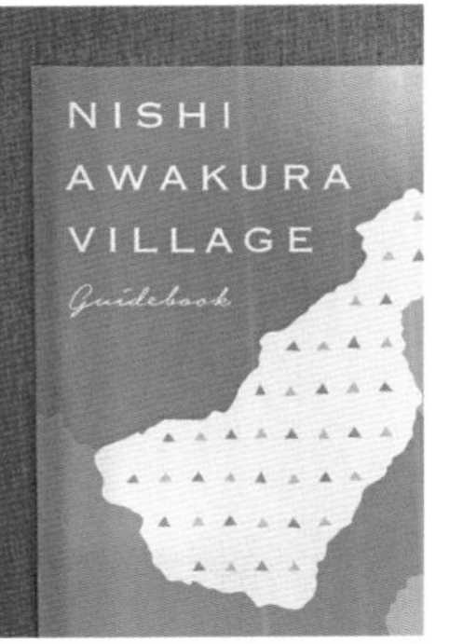

休憩スペースでは村内の木材を使った家具が置かれ、地ビール（鳥取県や湯郷のものだが）や軽食もいただけ、村の外から来た人と地元住民との交流の場でもある。「西粟倉村って、なんか面白いらしい」、そんな噂がたちまち広がり、県内外、さらには海外からの観光客の誘致へと繋がったという。エネルギーこそ、地域が自立するために重要なインフラで、地域にある自然資源を活かしエネルギーを変えること。その中心に「お風呂」があることで、「人」「エネルギー」「地域」の三位一体の関係を新たに生み出すという。この活動は、香川県の豊島でも始まっている。

森林を価値あるものに

西粟倉村で育つ木は、主にスギとヒノキ。戦後、未来の子や孫たちのためにと先人が植え、育ててきた。それだけの時間が経てば、木は年輪を重ね、太く立派なものに育つだろう。しかし、そう簡単にはいかないのが林業の難しいところ。植林の時はいいが、ある程度大きくなったところで適度に間伐してやらないと陽もあたらず栄養分が他の木へ分散され、細くて弱い木に育ってしまう。木は、伐採後、丸太のまま原木市場に出すのが一般的で、たとえ4メートルもあるスギの丸太でも3000円ほどで売買され、伐

rejected the proposal, vowing to pursue self-dependence and put the village back on its feet.

A village coexisting with the forest

I visited Nishiawakura-son in the early summer of 2020. Immediately, I noticed brand-new buildings made from cypress and Japanese cedar wood. One, the Nishiawakura-son kindergarten, teaches children to respect nature and see its value. The building itself teaches natural symbiosis by using self-sufficient recycled energy sources, being heated by woody biomass derived from scrap

採や輸送などの手数料を引くと、山の持ち主には、わずか500円しか入らない。丁寧に管理し、何十年という月日をかけて育ててきた木が、たったそれだけの価値にしかならないのか、と耳を疑う。日本各地には素晴らしい森林があるのに、現代の新築に使われる木材は、皮肉にも海外からの輸入品がほとんどで、ましてや足りない、とまでいわれている。先人が心を込めて植林し、伝え継がれてきた森林が、可哀想ではないか。そう誰もが思うかもしれないが、現実は、甘くはなかった。手つかずの管理放棄になるなど、〝風景〟といえば聞こえはいいかもしれないが、村の人々にとっては、林業自体衰退していくしかなかった。

しかし、2006年、それまで丸太のまま市場に出荷するのが慣例だったスギやヒノキを、村内でプロダクト（製品）にまで仕上げ、木の価値を上げようと「木の里工房 木薫」が起業された。村内で初めての「ローカルベンチャー」だ。「木薫」は、土を踏まないような生活をしている子どもたちに、本物の木の良さを伝えたいと、保育家具や保育遊具のメーカーとして、主に県外の施設に営業をかけ、売り上げを伸ばしていった。雇用が減っていく村で、ベンチャー企業が生まれ、雇用が創出されていく。まさに奇跡のような出来事だった。

百年の森林計画

当時、「地域再生マネージャー（コンサルタントや専門家を3年間自治体に派遣し、民間のノウハウを活用しながら地域を活性化する制度）」として村に関わっていた牧大介さん。「木薫」のチャレンジを加速させていくことが、地域の未来に繋がると、村とともに「雇用対策協議会」を設立。約70軒もあった空き家を移住者に斡旋する仕組みをつくり、地域でビジネスを起こし、その起業家たちが増えていくことで、お互いに関わりながら地域の経済を持続させていこうという考えだ。「ローカルにおいても、ベンチャーがありだ」と、自ら「西粟倉・森の学校」を起業した。

そして村も、森という資源を使って小さな経済や雇用をつくりだそうと「百年の森林構想」を掲げる。約50年前に植林され、約50年生にまで育った森林。先人の思いを大切に、村ぐるみであと50年頑張ろう。50年後の子どもや孫たちにも、持続可能な形で受け継ぎ、美しい「100年の森林」に囲まれた上質な田舎を実現してい

In 2006, Kinosato Kobo Mokkun was established as part of a move to process trees in the village to add value. It was their first local venture business. They manufacture kids' toys and furniture to expose children to real wood, and sell to buyers outside Okayama. So, in a village losing job opportunities, people had started a venture business and created jobs. It was a miracle.

The 100-year Old Forest Project

Daisuke Maki moved to Nishiawakura-son to use local knowhow to revitalize the village, under a system that dispatched a consultant or expert for 3 years. He saw a future for the village in helping businesses like Mokkun advance, hoping the economy could be sustained by nurturing entrepreneurs to start businesses in the village. He helped establish the Employment Measures Council and a system to help house new inhabitants among about 70 unoccupied houses.

(→p. 123)

旧影石小学校
WORK PLACE
SHOP
A0 inc.
帽子屋 UKIYO
プラスワーク
フレルp食堂/SHOP
酒うらら
SOMEYA
ポラリスの会
フレルp
mori no oto

mori no oto

スギ、ヒノキ、ヒラメキ、トキメキ
西粟倉森の学校

こうという。100年生の立派な木であれば、何かあった時にはその木を換金することもできる。具体的には、「木薫」と同じく、木に付加価値をつけ、全国に西粟倉の木を流通させること。そのためには、森林の集約化が必要で、約1300人もの所有者に交渉し、幾度となく説明会も開催。森林を持っていても管理しきれない人にも有意義な仕組みということが伝わり、多くの所有者も説得でき、村は50年先に向かって動き始めたのだ。

ローカルベンチャー

牧さんが自身が起業した「西粟倉・森の学校」は、「百年の森林構想」における木材加工・流通を担う総合商社としての役割もあり、雇用を生み、それが移住者の増加にも繋がっていた。村内に製材工場・加工場・小売の機能をつくり、間伐材を使った商品なども開発。都市の下請けではなく、自分たちでマーケティングのできる自立した村。今では、地域での〝人づくり〟を実践する「エーゼロ」を立ち上げ、農業・林業・水産業という枠を超えた「自然資本」として価値を繋げていかなければならないという。各分野が一つの生態系ではなく、全てを横に繋いで循環させることで、地域全体の循環が可能になる。「日本の田舎に、自立度の高い経済があれば、人が生きていくのを支える大事な基盤になるはず」と、彼は話す。

廃校になった校舎を利用した複合施設「旧影石小学校」には、出張日本酒バー「酒うらら」や、帽子屋「UKIYO」、地元の食器を使った「フレル食堂」、村の木材を使った楽器「mori-no-oto」。体育館では、「森のうなぎ」の養殖も行なわれていて、「森のジビエ」も始まっている。村内には、ヒノキを使った家具メーカー「ようび」や、天然素材で染めるアパレルブランド「ソメヤスズキ」、ヒマワリやエゴマの搾油所「ablabo.」など、これまでさまざまなローカルベンチャーが生まれてきた。西粟倉村には、森林という「自然」本来のポテンシャルとエネルギー、そして「自然」と共に暮らす人々の生き方と情熱がある。はるか昔の先人たちがそうしてきたように、今、自然と共生する持続可能で健全な暮らし方を、少しずつ取り戻している。それは、50年後、100年後に続く、今からでも遅くはない、日本中のみんなが手本にしたいロングライフな未来の生活なのだろう。

Local venture businesses

Maki himself founded the Nishiawakura-son Mori no Gakko (School of Forest), creating jobs and inviting people into the community. They established sawmill, processing plant, and retail functions in the village, and design products to use lumber from forest-thinning etc. The village no longer needs to rely on receiving work from cities. They established A Zero inc. to "build people" who can surpass industry boundaries to derive maximum value from natural resources. Now, a renovated closed-down primary school contains a "travelling" sake bar Sake Urara, a hat shop UKIYO, and Fureru Eatery. Elsewhere in the village, Youbi manufactures furniture from Japanese cypress, apparel store Someya Suzuki uses natural dyes, and ablabo. mills sunflower and perilla oils. It may take another 50-100 years, but the village is slowly rediscovering a sustainable and healthier lifestyle that coexists with nature. It's not too late for the rest of Japan, either.

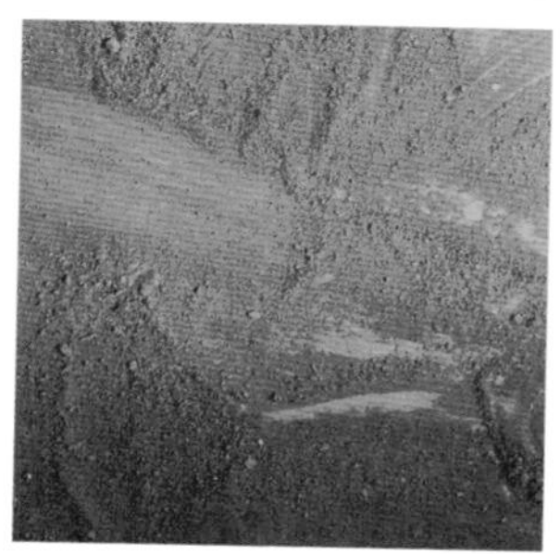

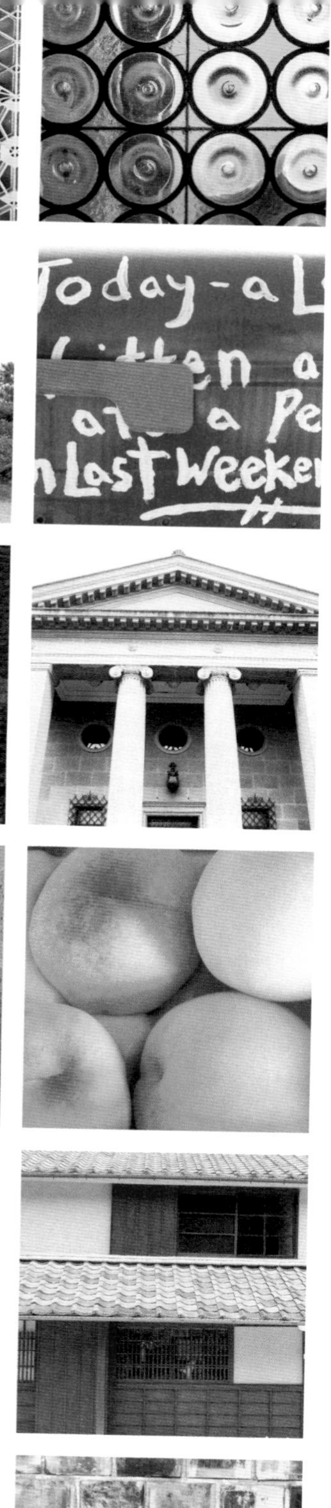

その土地のデザイン

岡山もよう

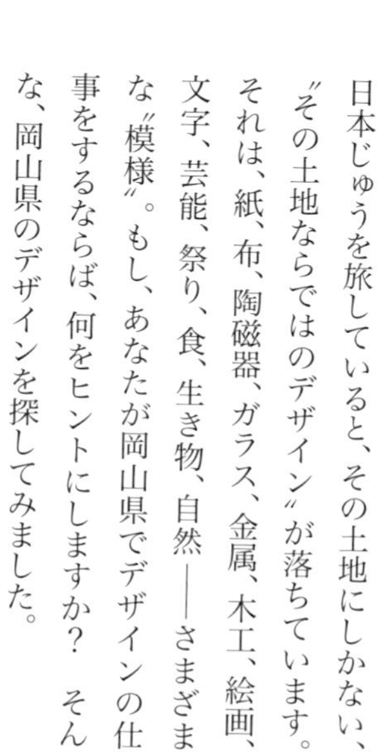

日本じゅうを旅していると、その土地にしかない、〝その土地ならではのデザイン〟が落ちています。それは、紙、布、陶磁器、ガラス、金属、木工、絵画、文字、芸能、祭り、食、生き物、自然——さまざまな〝模様〟。もし、あなたが岡山県でデザインの仕事をするならば、何をヒントにしますか？ そんな、岡山県のデザインを探してみました。

Designs of the land

OKAYAMA patterns

As you travel around Japan, you will come across designs unique to the land that can only be found there. Patterns like paper, cloth, pottery, glass, metals, woodwork, paintings, calligraphy, performing arts, festivals, food, animals and nature. If you are a designer in Okayama, where can you get hints? We searched for Okayama designs that can serve as hints.

だて
倉敷緞通
5
KURASHIKI KOKUSAI HOTEL
K
KH
Ryobi

岡山県の風土がつくったデザイン

四ツ手網

乙倉慎司

岡山の不思議な日常

海に張り出して建てた小屋の中から、「四ツ手網」を上下させて魚を獲り、その場で調理をして食べるという憩いの文化が、岡山にはある。私たちの地元では、このことを「四ツ手をする」と言う。波の穏やかな児島湾の2キロメートル弱の堤防に沿って、二十数棟の「四ツ手小屋」が立ち並んでいる。それぞれの小屋は個人の漁師さんが所有しており、もともとは漁業のための場であったが、以前ほど魚が獲れなくなってからは、地域コミュニティーの場に変容した。四ツ手小屋は、コテージのようなもので、電話で予約して、一晩借りて楽しむことができる。誰とはなしに、「来週ぐれえに、四ツ手いこうやぁ」と、友人同士で声をかけあって、夕方頃、思い思いに食材を持って集まり、新鮮な魚やベイカ、ガラエビを食べたり、肉や牡蠣のバーベキューをしたり、のんびり釣りを

"hey, how about we *yotsude* next week," and make a booking over the phone. Friends will slowly gather at the hut, bringing extra food, to eat, drink, and fish in a *yotsude* hut until morning, enjoying fresh *beika* squid, *garaebi* shrimp, and barbequed oysters. Sometimes the fishermen and neighboring huts will share their bounty, and cooking pots and seasonings are left for the next guests to use – it's all good. I grew up with this *yotsude* culture, but it wasn't until I left Okayama to study architecture that I truly appreciated its value and decided to research the huts.

Creative design on polder land

How did these curious huts come to be? It all started with our ancestors who moved here in the Edo period to farm rice on polder land newly reclaimed from the sea. They wanted to fish to get essential protein in their rice-based diet, but weren't allowed to use boats in those waters. So, they had to fish from land, and thus the *yotsudeami* fishing method was

乙倉 慎司　岡山市出身。千日デザインアソシエーション代表。一次産業にまつわるデザインの依頼多数。自身でも“畑でとれるアイスのお店AOBA”を経営。AOBAでは、生産者や地元農機具メーカーと協働しながら地域の食材を活かした商品開発を行なう。
Shinji Otokura　Originally from Okayama. Representative Director of SENNICHI Design Association, which designs mainly for primary industry businesses, and Owner of “farm-to-table” ice cream shop AOBA. AOBA collaborates with local producers and farming equipment manufacturers to deliver products that use local produce.

したり、ゆっくり朝まで呑み明かす。鍋や調味料はシェア、いつから置いてあるものなのか。気にしない。漁師さんが差し入れを持ってきてくれたり、隣の小屋からお裾分けをいただけたりする。幼い頃から「四ツ手」がある日常があたり前だったが、故郷を離れて建築を学び、その文化の貴重さに気づき、私は、「四ツ手小屋」を研究することにした。

干拓地文化に生まれたデザイン

なぜこのような不思議な建築が生まれたか。起源は、干拓により田んぼを開墾した江戸時代の祖先の暮らしにまで遡る。稲作が中心の生活において貴重な「タンパク質」を得るために海で魚を獲りたいが、新参者の彼らには、舟で沖に出て漁業をする権利を持たなかった。そのため、陸から四ツ手網漁をするようになったことが始まりだとされている。網を下ろして待つ漁法のため、日射を

A design born out of OKAYAMA culture

Yotsudeami

by Shinji Otokura

Unusual customs in OKAYAMA

In my hometown of Okayama, we have a custom of relaxing using an activity that we call *yotsude*. Jutting out over the calm ocean waters of Kojima Bay stand 20-odd huts along a roughly 2km levee. These are the *yotsude* huts, privately owned by fishermen and designed for a land-based fishing method that uses *yotsudeami* (four-armed scoop nets) that are lowered into the water to scoop up fish from within the hut. Local fishermen used to live off selling the fish they caught in these huts, but as fish became scarcer, the huts were transformed into community gathering places that can be rented out nightly like cottages. Folk in Okayama will say

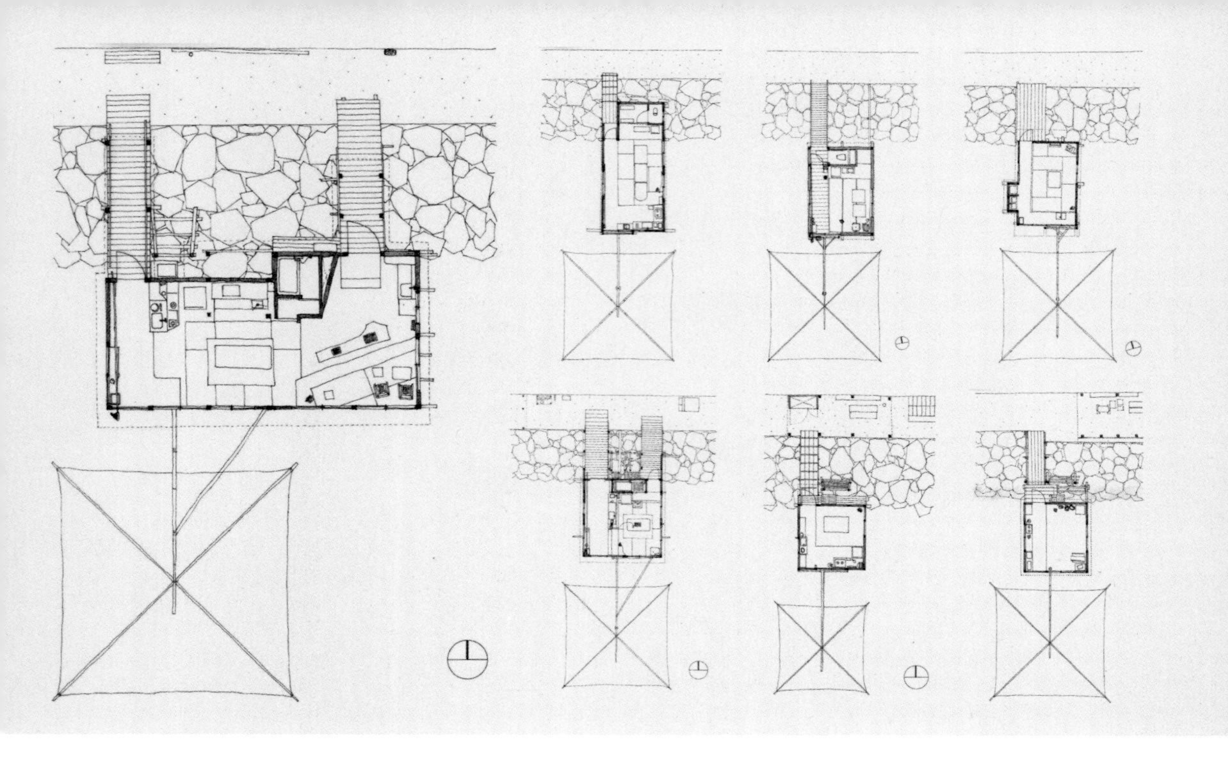

避けるために屋根を取り付け、次第に快適性を求めるうちに1坪ほどの小屋が建てられるようになった。その後、護岸工事が行なわれた折に現在の姿になった。当時は、細長い土間と小上がりの畳間、「四ツ手網」とそれを上下させるためのオダマキ（建物の後ろにあるはしご状のもの）で構成され、どの小屋も同じデザインであった。それが今では、それぞれの漁師さんの手により独自の空間様式に進化している点がとにかく面白い。別荘のような感覚で、ソファが置かれ、絵画が飾られ、中にはお風呂があるものまで。1991年の台風により多くの「四ツ手小屋」が流されてしまったが、最盛期にはその数70棟を超えていたとか。魚をおびき寄せるための灯り（あか）が連なる夜の風景は、〝横（よこ）樋（ひ）の漁火（いさりび）〟と呼ばれた。干拓地での暮らしに由来して生まれた「四ツ手」という文化は、形を変え、役割を変え、今日も漁火は穏やかな水面にたゆたう。

born. Fishing involved lowering nets and waiting, so fishermen built roofs to shade them from the sun while they fished. As their desire for comfort grew, they built huts to fish from. The design of the huts was later standardized, when the levee was constructed. Each hut was about 3m2, and inside was a dirt floor, raised tatami seating, and a reel for the net. Today, individual fishermen have customized their huts into unique and fascinating spaces. Some of them feel almost like second homes, with sofas, wall décor, even bathtubs. Before a typhoon washed many of them away in 1991, over 70 huts stood on the bay: at night, each hut used light to attract fish, creating the spectacle of a glowing chain of lights along the levee. The *yotsude* culture has evolved since the polder days, but a string of lights still shines on those gentle waters today.

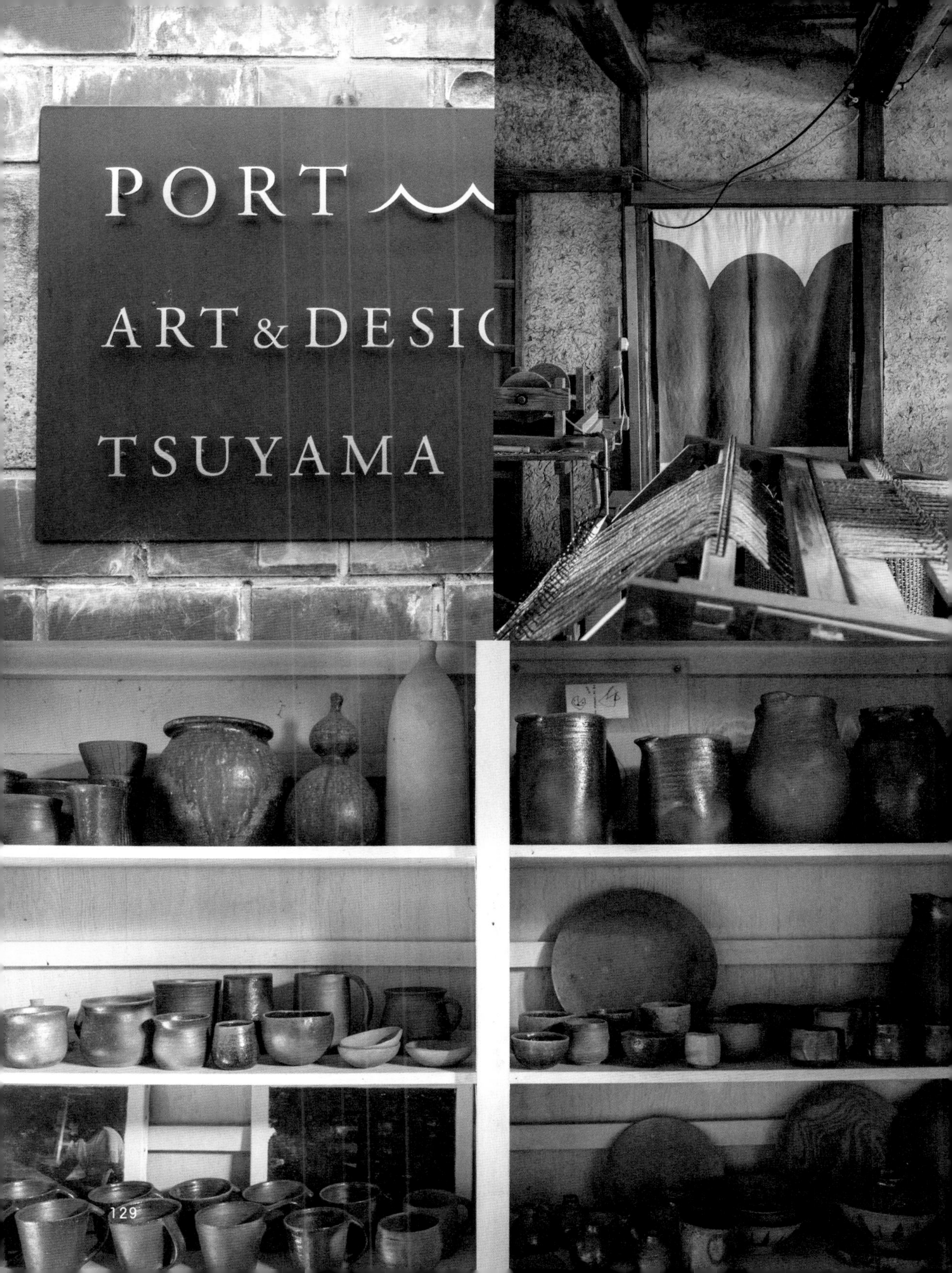
PORT
ART & DESIG
TSUYAMA

岡山県のロングライフな祭り

桃太郎と神話

坂本大三郎（山伏）

桃から生まれた桃太郎が、鬼退治をする物語は日本中で広く知られています。岡山県は「桃太郎伝説のふるさと」として、JR岡山駅の前に銅像が建てられ、さまざまな方面で桃太郎を観光に活用しています。もとは岡山出身の難波金之助によって「吉備津彦命が温羅を退治した伝説」が桃太郎伝説のルーツであると提唱され、1960年代以降、岡山県が積極的にそれを観光資源として用いた結果、現在のように桃太郎伝説発祥の地と知られるようになったのだそうです。

昔話の中には古い神話の時代の破片が残されており、その「飛石」を「踏んで神話の彼岸まで渡って行ける」[*1]と、考えたのが民俗学者の柳田國男でした。『桃太郎の誕生』の中で、桃太郎、かぐや姫、一寸法師、少彦名など、異様に小さな主人公が物語に登場することに着目し、柳田は、それを「小さ子」と呼びました。昔話は神話が零落したものであり、本来それが語られたのは祝祭と関わる聖なる場であったと考えたようです。

また人類学者の石田英一郎は、柳田の説

title character as well as Princess Kaguya, Issun-boshi and Sukunabikona. Such tales trace their roots to old myths usually associated with religious rites.

Anthropologist Eiichiro Ishida took Yanagita's theories further, positing as the story's archetype the mother–child relationship seen in mother-goddess creation mythology throughout Eurasia. Such old tales are rarely limited in setting to a single location and possess extraordinary depth.

Traditional stories, passed down from old to young throughout Japan, have almost entirely disappeared. Readers may wonder why the characters in such tales are born from peaches and bamboo, and why they tend to be excessively small or oversized. Curiosity about such things encourages us to read referencing materials, and expand our imaginations. Then you will see that the stories still serve as stepping stones to the world of mythology, and it would be a waste to let them fade away and be forgotten.

1 Yanagita, Kunio. "Momotaro no Tanjo" (The Birth of Momotaro). Yanagita Kunio Zenshu 10 (Kunio Yanagita Complete Collection 10), Chikumashobo, p. 037.

坂本 大三郎　現代の感性と客観性を併せ持つ山伏。東北出羽三山での山伏修行で、山伏の在り方や山間部に残る生活技術に魅せられ山形県に移住。山は人智を超えた「わからないもの」の象徴だと考え、そこにある奥深い文化や風習を、わかりやすい言葉と魅力的な絵で伝える。イラストレーター、文筆家としても活躍。

Daizaburo Sakamoto　*Yamabushi* (mountain priest) with a modern sensitivity and objectivity. During training as *Yamabushi* in Dewasanzan, Tohoku, he was attracted by the way of life of mountain priests and the art of living that remains in mountainous regions, and so he decided to relocate to Yamagata. Based on his belief that mountains are the symbol of "things we don't know" that surpass human intellect, he conveys the profound culture and customs in mountainous regions through easy to understand language and attractive illustrations. He is also active as an illustrator and writer.

を発展させ、桃太郎の物語を生み出す原型に母と子の関係を見出し、それが日本のみならず、ユーラシアに広がる大地母神神話に根を持つものであると推測しました。

その論の是非についてはここでは深入りしませんが、桃太郎などの昔話の多くが一つの土地に限定されるものではなく、途方もない深度を持ったものであることは確かだと思われます。

各地で伝承された物語を、年寄りが幼な子に語る場もほとんど消滅してしまいました。しかし、なぜ昔話の登場人物が桃や竹から生まれてきたのか。小さ子やダイダラボッチのような極端に小さかったり大きかったりする存在が登場するのか……など、昔話に素朴な疑問や関心を持って、先人が書き残した書物を手に取って想像力をたくましくしてみれば、そこにはまだ神話世界への「飛石」が続いているのではないかと僕は思います。昔話をホコリの中に埋もれさせてしまうのはもったいないです。

＊1　柳田國男「桃太郎の誕生」『柳田國男全集10』ちくま文庫 p.037

Long Lasting Festival in OKAYAMA

Momotaro and Mythology

By Daizaburo Sakamoto (*Yamabushi*)

The story of Momotaro, the demon-slaying boy born from a peach, is known throughout Japan. Many consider Okayama the tale's birthplace, which is why a bronze Momotaro statue sits outside of Okayama Station. Okayama native Nanba Kinnosuke pointed out the similarity between The Tale of Prince Kibitsuhiko-no-mikoto's Defeat of the Demon Ura and the Momotaro story, and because the prefecture has utilized it in tourist promotion since the 1960s, Okayama is known as the legend's birthplace.

Such old tales contain bits and pieces of old myths, and folklorist Kunio Yanagita believed that using these fragments as "stepping stones" enables a better understanding of Japanese mythology.1 He also noted an unusual prominence of "small people," or main characters of unusually small size, in Momotaro no Tanjo (The Birth of Momotaro), including the

岡山県の味

岡山定食

相馬夕輝（あいまゆうき）
（d47 食堂ディレクター）

※下から、時計回りに
【備前ばら寿司】
酢を利かせ過ぎない酢飯に、酢締めしたサワラが抜群に良い。
中でも冬が良い。
【イシモチの唐揚げ】
揚げて甘酢で和える。
小魚を骨ごと食べるにはやはり揚げ物。
【ガラエビ出汁の茄子の煮浸し】
ガラエビは年中獲れて、良い出汁が出る。
夏から秋は茄子がいい。
【大手まんぢゅうの蒸し直し】
薄皮の酒饅頭。無添加でそのままでも美味しいが、
蒸し直すと尚美味。
【黄ニラの味噌汁】
ニラよりもあっさりとした味わいが特徴の黄ニラを、
いりこ出汁と「名刀味噌」の米味噌で。

料理　岡竹義弘（d47 食堂）
写真　山﨑悠次

中国山地の水が海を育て、生まれた小魚食文化

岡山は穏やかな瀬戸内海に面し、海岸を西から東へ中心市街地が平野部を形成する。中央部には棚田の景色を持つ里山があり、鳥取県との県境には標高1200メートルを超える中国山地が繋がる。標高の高い北部から瀬戸内海へと、3つの大きな川（吉井川・旭川・高梁川）が、東西をほぼ等分しながら縦断していることは、岡山を水に恵まれた環境にし、米作りはもちろん、山のミネラルが瀬戸内海にたっぷりと流れ込むことで、沿岸では小魚が豊富に獲れている。

ママカリ（関東では「サッパ」とも呼ばれる）は酢漬けや、焼いて南蛮漬けにする。また、耳石がとても大きい（実際、調理時に頭を取ると白い石が出てくる）イシモチは、頭を取って、小骨も気にせず食べやすい、天ぷらや唐揚げにする。中でも倉敷の郷土料理店「竹の子」でいただいたイシモチは、甘辛タレが揚げた衣によく絡まって絶品だった。他にも、ガラエビは出汁をとって茄子と煮浸しに、小さいアミは冬が旬で大根と一緒に煮つけるアミ大根に、シャコは蒸してそのままでも美味しく、イイダコやベイカは煮つけになど、小さな魚介の食文化が日常にある。

OKAYAMA's "Home Grown" Meal

By Yuki Aima (Director, d47 SHOKUDO)

Above photo, clockwise from the bottom:
Bizen *bara-zushi*: With vinegared Spanish mackerel.; **Indian perch:** Fried, with sweet vinegar.; **Simmered eggplant in cocktail shrimp broth:** This shrimp makes excellent stock.; **Re-steamed Ohte Manju:** Sakemanju buns.; **Miso soup with *kinira chives*:** "Meitou Miso" soup made with dried sardines.

Small Fish and Shrimp: A Seafood Culinary Culture Fostered by Chugoku Mountain Waters

Okayama's towns and cities developed along the Seto Inland Sea coast, and the towering Chugoku mountains connect Okayama with Tottori. From atop these mountains, one can see three major rivers flowing seaward, separating the prefecture into nearly equal sections. These bountiful water sources carry minerals into the sea, fostering a thriving small-fish and -seafood industry along the coast.

This seafood is prepared in various ways. (→p. 135)

山間部は、というと、主に日本海の方が距離的に近いこともあって行商で鳥取から塩漬けサバが届き、鯖寿司が食べられていた歴史がある。また、津山では江戸時代より牛肉食が「養生食」として特別に許され、今でも街の肉屋では「干し肉」が売られている。ジャーキーほど固くはなく、生肉的食感なのに、旨味がぎゅっと詰まっている。地形に裏打ちされて根づいた食文化が、歴史や文化を伝えながら残り続けている。

歴史や物語が繋ぐ「ばら寿司」発祥の地

備前焼の窯元「一陽窯」の木村肇さんを訪れた。そこに倉敷で魚屋を営む「魚春」の光畑隆治さんが立派なマナガツオ（神経締めしてから5日も寝かせたもの）を特別に持ってきてくれて、その場で岡山のクラフトビール「koti ビール」を呑みながらの夜会が始まった。刺し身はもちろん美味だが、さっと塩焼きで炙ったものは、香ばしさの中にジュワーッと広がる旨味が、刺し身のさらに上をいく。〝魚屋の仕事〟をたっぷりと堪能させていただいた。また、光畑さんには「備前ばら寿司」の作り方も教えていただいた。ピチピチと体をくねらす生きたハモを豪快に捌

bara-zushi (raw seafood scattered over rice), first slicing up a pike conger and adding savory vinegar, placing it on sushi rice, then piling on vinegared Spanish mackerel, broiled conger eel, steamed shrimp, squid, and octopus.

According to Ichimonji Udon, the roots of Bizen *bara-zushi* can be traced back to a dish known as *dodomese*, where *doburoku* sake that had partially converted to vinegar is added to rice cooked together with vegetables and meat. Bizen *bara-zushi* is also believed to have roots in responses to Edo Period thrift ordinances which restricted meal contents. To get around restrictions, locals mixed seafood and vegetables in a single dish, and took surreptitious measures such as hiding seafood in the bottom of wooden sushi tubs to disguise the bountiful feast. It's fascinating how the people of Okayama have, through serendipity and even quasi-legal cunning, worked to fill their daily lives with delicious foods.

Recording traditional local cuisine in recipes is not enough to preserve the cuisine itself. Okayama taught me that it's important to keep passing down traditions within the local region.

相馬 夕輝　滋賀県出身。D&DEPARTMENTディレクター。47都道府県に、ロングライフデザインを発掘し、発信する。食部門のディレクターを務め、日本各地に長く続く郷土食の魅力を伝え、生産者を支援していく活動も展開。また、d47食堂の定食開発をシェフとともに担当し、日々各地を巡る。
Yuki Aima　Native of Shiga prefecture. Representative Director of D&DEPARTMENT INC. He established D&DEPARTMENT which uncovers long life designs in the 47 prefectures of Japan and transmits information of such designs. He is also serving as director of the Food Department, and develops activities to convey the appeal of regional cuisine that has a long tradition in all parts of Japan and to support producers. He is also in charge of set meal development in the d47 SHOKUDO together with chefs, and frequently travels to various regions.

き、ハモの骨や顔の臭みを塩で取り、そこに酢をかけ、旨味をたっぷり溶けさせた酢に、ハモ肉を和えて酢飯にのせていく。酢を通して旨味を伝える技らしい。酢締めしたサワラ、穴子の蒲焼、蒸し海老、イカ、タコ、豪勢な食材が寿司桶の上に並んだ姿は圧巻。

ばら寿司の起源は、その原型とされる「どどめせ」を「一文字うどん」が伝えている。渡船場で売られていた釜飯に、時間が経って酢になりつつあったどぶろくが不意に振りかかって出来上がったのが原型だとされる。また、江戸時代、岡山藩主による一汁一菜の倹約令の中、さまざまな魚介も野菜に混ぜ込んで一菜に見立てたと言う話や、寿司桶の底に魚介を忍ばせ、一見は質素に見せかけて中は豪勢にしたと言う話まで、偶然の賜物も、法の抜け道も、民衆がいかに美味しく日々を味わおうとしてきたかという努力が面白い。

レシピだけを残しても、郷土料理を残すことはできないのかもしれない。その土地にいかに続いてきたかの物語を含めて伝え続けていくことの大切さを、岡山が、改めて教えてくれた。今や全国区のばら寿司、それでもやはり岡山の郷土料理に違いない。

Japanese sardinella is often pickled or fried in a spicy marinade, whereas Silver croaker can be cooked as tempura or deep fried—the croaker I tried at Kyodo-ryori Takenoko was deep-fried with a sweet-and-salty sauce. Okayama's small fish and shrimp are used in other dishes as well, including slow-simmered eggplant in Garaebi shrimp stock.

Historically, traveling merchants in the mountains took advantage of their proximity to the Sea of Japan to bring in mackerel from Tottori. In Tsuyama, locals have considered beef a health food since the Edo period (1800–1868) and still sell soft dried-beef products at local shops. Such history and culinary culture, deeply rooted in local geography, still thrives today.

Birthplace of *Bara-zushi*: Preserving Food Throughout History

During our visit with Hajime Kimura at his Bizen ware workshop Ichiyou-gama, Uoharu owner Ryuji Mitsuhata brought us a *managatsuo* fish along with some local craft beer from Koti Brewery. He taught us how to make Bizen

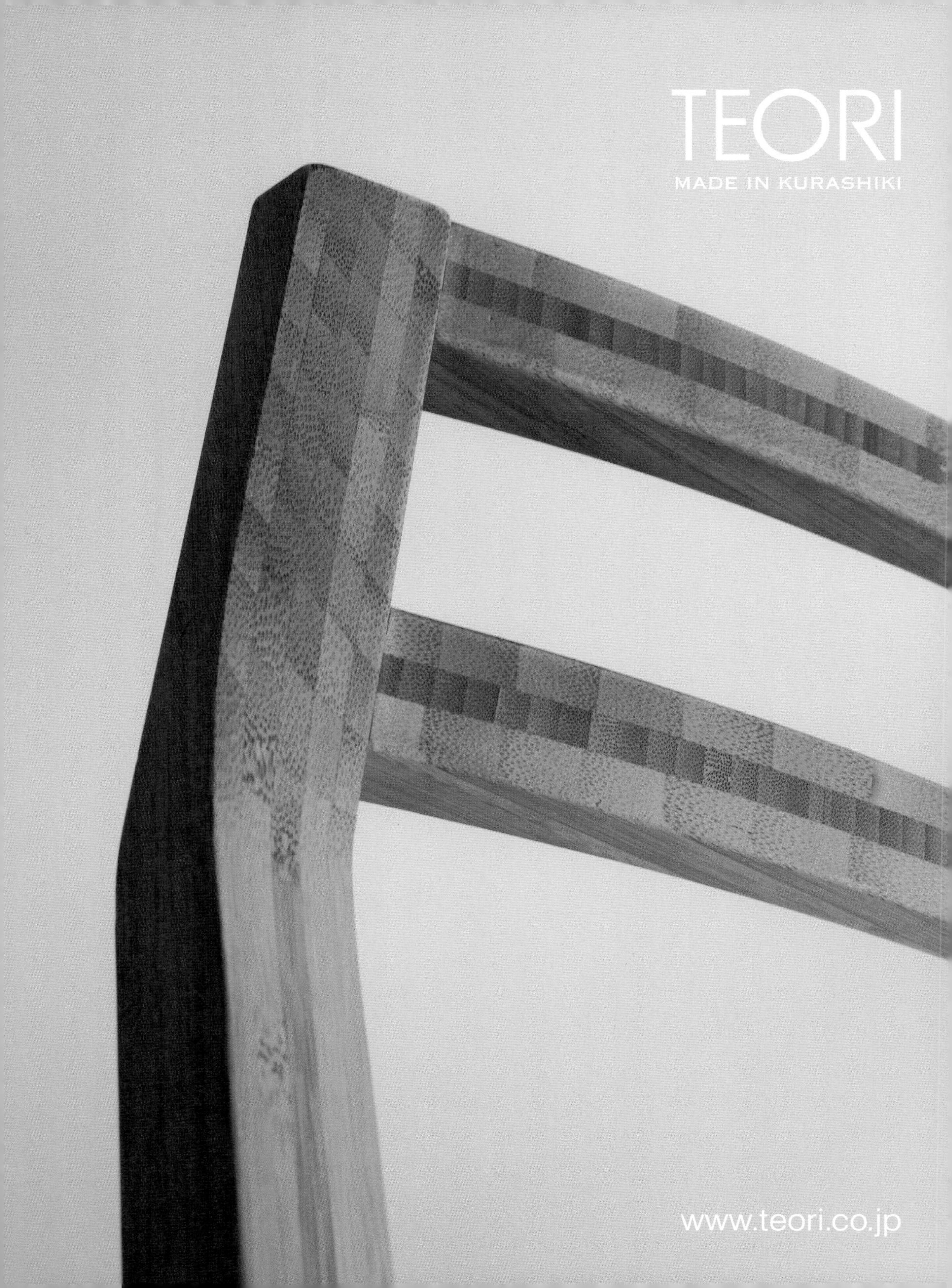
TEORI
MADE IN KURASHIKI
www.teori.co.jp

岡山県のCD

岡山を中心に神出鬼没に音楽を売り歩く、通称"流しのCD屋"「moderado music」岡本方和さんが選ぶ"岡山らしいCD"。

Carlos Aguirre Grupo(Crema)

Carlos Aguirre Grupo
(Apres-midi Records 2,750円)

岡山からアルゼンチン。地球の裏側、音楽で繋がる風景　吉井川、旭川、高梁川。岡山県には3本の一級河川が流れている。岡山県南西部の町に住む僕にとっての「こころの川」は、町を縫うように流れる小田川と、それを支流に持つ高梁川だ。岡山市内に行商、つまり〝流し〟に行く時は必ずその川を渡る。車窓からは日々、四季折々の美しい風景が川面に反映している。2010年に念願のアルゼンチンの音楽家カルロス・アギーレを初めて岡山県に招いた時、フライヤーに高梁川の風景を添えた。水・風・陽の光、土の匂い……フォルクローレ音楽を基調に現代的なエッセンスを加え、アコースティックなアンサンブルで紡いでいく彼の穏やかな音楽から立ち現れる音風景は、僕にとって高梁川水系の風景だった。風景の浮かぶ音楽は、長くつきあっていける音楽だと、僕は常々思っている。そして、地球の裏側から届く彼の音楽は、今も僕の生活の中で絶え間なくゆっくりと流れ続けている。

CDs of OKAYAMA

An "Okayama-esque" CD selected by Masakazu Okamoto, the elusive music peddler in Okayama from "moderado music", commonly known as the "flying CD shop".

Carlos Aguirre Grupo (Crema)
Carlos Aguirre Grupo (Apres-midi Records ¥2,750)

From Okayama to Argentina. Scenery connected by music. For me, who lives in the southwestern part of Okayama, the "river of my heart" is the Takahashi River and Oda River, one of its tributaries that flows through the town. I must first cross that river if I want to peddle in Okayama City. The scenery of sounds that emerges from his calm acoustic ensemble, that has the added aspect of contemporariness to the folklore base, truly depicted the landscape of my rivers. His music continues to flow slowly and incessantly in my life.

やがて 風景になる ものづくり
Y
YOUBI

岡山県の本

本の祭典「瀬戸内ブッククルーズ」の企画から開催まで手がける、「451ブックス」代表の根木慶太郎さんが選ぶ“岡山らしい本”。

空からのぞいた桃太郎

影山 徹
（岩崎書店 1,650円）

毎夏、岡山県民は鬼（うら）になる

皆さんは、絵本の「絵」を読んでいるだろうか。文字を読んだだけでは、絵本を読んだとは言えない。「絵」は挿絵ではなく、「絵」の中にこそ読むべきメッセージがある。昔話「桃太郎」を俯瞰の視点から描く『空からのぞいた桃太郎』は、従来の「桃太郎」のストーリーと異なる部分は、ほとんどない。ただ視点が変わるだけで「桃太郎」の不自然さを感じることができる。違和感とも言える不自然さは、おじいさんとおばあさんの暮らしぶりから始まり、吉備団子だけでお供する犬・猿・キジの住む場所や、慎ましく暮らす鬼たち、そして大殺戮とも言える鬼退治の場面など。読者は桃太郎側の人間として見ていて、実は鬼側にもなりうることに気がつくかもしれない。「桃太郎」という派手な衣装（パフォーマンス）や従来の価値観から「暴力」を支持してしまうとどうなってしまうのか……「絵」を読むということ。もう一度始めてみませんか。

Books of OKAYAMA

From the planning to the holding of the book festival, “Setouchi Book Cruise”, Keitaro Neki, the representative of “451 Books”, presents his selection of Okayama-esque books.

Momotaro looking down from the skies
Toru Kageyama（Iwasaki Shoten ¥1,650）

Okayama citizens become demons（*ura*）
The pictures are not just illustrations, but contain messages for you to decipher. “Momotaro, looked down from the skies” is based on the folklore of “Momotaro” and drawn from a bird’s eye view. However, you can feel the unnaturalness of the story when the perspective is switched. Beginning with the life of the old couple, the place where the dog, monkey, and pheasant live, the demons who live quietly, and their extermination. Readers who saw themselves on Momotaro’s side may realize they could be on the demons’ side.

編集部が本音でお薦めしたい

岡山県のおみやげ

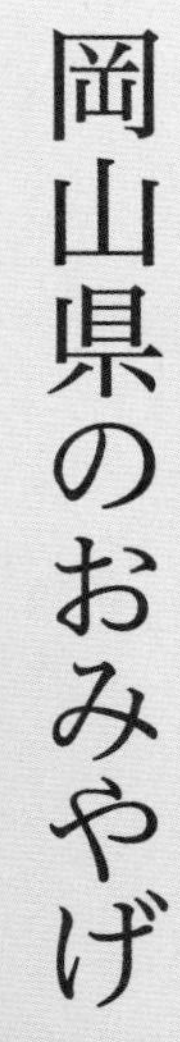

4

1

2

3

1. バケツ型バッグ　舟の水汲みバケツから生まれたプロダクト。汚れもシワも楽しみながら使っています。(門脇)　15L ロング 11,000円　**BAILER**　🅘 3sun.jp　Bucket bag 15L long ¥11,000

2. シロップのいちごとジャムのいちご　牛乳で割ったり、バニラアイスと混ぜたり、"苺好き"にはたまらない。苺農家だからできたお土産。(神藤)　シロップ 220g 1,280円、ジャム 130g 820円　**奥山いちご農園 | plate**　📍岡山県岡山市東区豊田663-3　☎086-948-2708　Strawberry syrup & strawberry jam　Syrup 220g ¥1,280　Jam 130g ¥820　**Okuyama Ichigo Farm | plate**　📍Toyota 663-3, Higashi-ku, Okayama, Okayama

3. ヒメノモチ　次世代の直売所で買いたいのは、この地域名産のもち米。冬にはお餅も購入できます。(神藤)　白米 1kg 1,080円　**蒜山耕藝くど**　📍岡山県真庭市蒜山下和1418-2　☎0867-45-7145　Himenomochi　White rice 1kg ¥1,080　**Hiruzen Kogei Kudo**　📍Hiruzen-shitao 1418-2, Maniwa, Okayama

4. びんカゴ(須浪亨商店)　瓶を持ち運ぼうとしたら、こうなりました的な形。バッチリ瓶を保護してくれる。まさに用の美。(高橋)　小 1,760円　**くらしのギャラリー本店**　📍岡山県岡山市北区問屋町11-104　☎086-250-0947　Bottle basket (Sunami Toru Shoten)　Small ¥1,760　**Kurashi no Gallery Honten**　📍Toiya-cho 11-104, Kita-ku, Okayama, Okayama

5. ホワイトエール　桜の木の下で自家採取した自然酵母で醸す、孤高の醸造家のホワイトエール。ピチピチ瓶内で酵母が生きている。(相馬) 750ml 2,200円　**koti brewery**　🅘 kotibeer.com　White ale beer 750ml ¥2,200　**koti brewery**

6. ワイン　自社栽培のブドウと野生酵母でつくり上げる岡山ワイン。ラベルで選びたくなる愛らしさも◎。(有賀)　2018 Merlot Barrique 750ml 4,290円　2019 Chardonnay 750ml 3,850円　**domaine tetta**　📍岡山県新見市哲多町矢戸3136　☎0867-96-3658　Wine　2018 Merlot Barrique 750ml ¥4,290　2019 Chardonnay 750ml ¥3,850　**domaine tetta**　📍Yato 3136, Tetta-cho, Niimi, Okayama

7. ジャム　果物だけでなく、スパイスとの組み合わせも美味しく楽しい。季節ごとに味わいたい。(渡邉)　キウイ、仏手柑、桃&苺、甘夏スパイス、苺とバニラ、ばらいちご、ネーブルとキウイ、白桃　各50g 各378円〜　**alimna**　📍岡山県久米郡美咲町安井407　☎0868-64-0066　Jam　Kiwi　Buddha's Hand　Peach & Strawberry　Sweet Summer Spice　Strawberry & Vanilla　Rose Strawberry　Navel Orange & Kiwi　White Peach　50g each ¥378〜　**alimna**　📍Yasui 407, Misaki-cho, Kume-gun, Okayama

8. 備前焼フードコンテナ&ひしおの糀　菌が快適に呼吸する備前焼。香り豊かなひしおのできるまで2週間、毎日観察しちゃいます。(有賀)　19,800円　**名刀味噌本舗**　📍岡山県瀬戸内市長船町土師14-3　☎0869-26-2065　Bizen Ware Food Container & Hishio no Hana　¥19,800　**Meitou Miso Honpo**　📍Haji 14-3, Osafune-cho, Setouchi, Okayamaa

9. 剣先コップ(石川硝子工藝舎)　ジャンルを問わず自由に使える我が家の定番コップ。「剣先コップ」は、旅で出会った新定番。(神藤)　大 3,520円　**くらしのギャラリー本店**　📍岡山県岡山市北区問屋町11-104　☎086-250-0947　Kensaki Glass Cup (Ishikawa Glass Kogeisha)　Big ¥3,520　**Kurashi no Gallery Honten**　📍Toiya-cho 11-104, Kita-ku, Okayama, Okayama

Photo：Yuji Yamazaki

10. 元祖きびだんご　五味太郎氏が描き下ろした、犬に猿にキジ、そしてロボット!?　みんなに配れば桃太郎気分。（前田）　10個入り432円、15個入り648円　**廣榮堂 中納言本店**　⚲岡山県岡山市中区中納言町7-32　☎086-272-2268　Ganso *Kibi Dango*　Box of 10 ¥432　Box of 15 ¥648　**Koeido Chunagon Main Store**　⚲Chunagon-cho 7-32, Naka-ku, Okayama, Okayama

11. 倉敷ノッティング　織る様子に感激して購入を決心。織り手の数だけ存在する柄と色、選ぶ悩みもまた乙です。（有賀）　大 40×40センチ 33,000円　**倉敷本染手織研究所**　⚲岡山県倉敷市本町4-20　☎086-422-1541　Kurashiki Knotting　Large 40 × 40 cm ¥33,000　**Kurashiki Dyeing and Hand-weaving Research Center**　⚲Honmachi 4-20, Kurashiki, Okayama

12. 備中和紙　岡山県産ミツマタならではの、さらりとした書き心地。プリンター印刷さえ可能にする職人技が光る。（渡邉）　KAMI A4 WHITE 20枚入り 2,200円　**日本郷土玩具館**　⚲岡山県倉敷市中央1-4-16　☎086-422-8058　Bitchu *washi*　KAMI A4 WHITE 20 pcs　¥2,200　**Japanese Folk Toy Museum**　⚲Chuo 1-4-16, Kurashiki, Okayama

13. バスソルト（hinoki LAB）　岡山の檜の木と枝と葉でそれぞれ異なるフレグランス。間伐材を使ったサスティナブルな製品。（神藤）　マーブルブランチ、ピンクウッド、クリスタルリーフ 各30g 各495円　**道の駅 がいせんざくら 新庄宿**　⚲岡山県真庭郡新庄村2190-1　☎0867-56-2908　Bath salts（hinoki LAB）　Marble Branch　Pink Wood　Crystal Leaf 30g ¥495 each　**Roadside Station Gaisen-zakura Shinjo-shuku**　⚲Shinjo-son 2190-1, Maniwa-gun, Okayama

14. 珈琲豆　本当は店内で飲むことをお薦めしますが、超シンプルパッケージに店主の思いが詰まっている。（神藤）　グァテマラ、コロンビア 各150g 各1,150円　**三村珈琲店**　⚲岡山県井原市芳井町下鴫2538-2　☎0866-74-0012　Coffee beans　Guatemala　Colombia ¥1,150 each　**Mimura Coffee**　⚲Shimoshigi 2538-2, Yoshii-cho, Ibara, Okayama

15. Farmerall　速乾ストレッチデニムワークウェア　農家の要望に応えて、伸び、乾き、収納性を実現。産地の最新技術を生かした新商品から目が離せない。（有賀）　XS〜XL 各22,000円　**DENIM HOSTEL float**　⚲岡山県倉敷市児島唐琴町1421-26　☎086-477-7620　Farmerall Quick-dry stretch denim workwear　XS〜XL ¥22,000 each　**DENIM HOSTEL float**　⚲Kojima-Karakoto-cho 1421-26, Kurashiki, Okayama

14

15

13

d design travel 編集長が語る、パートナー企業のこと

LIST OF PARTNERS

000-001

倉敷市　美観地区に代表される倉敷市の観光でも、地元出身の建築家・浦辺鎮太郎設計の建築群も、〝デザイントラベル〟では忘れてはなりません。「倉敷中央病院」や「倉敷国際ホテル」、そして特筆すべきは、1980年建設の「倉敷市役所庁舎」。町が今も美しく残されているのは、市民や民間企業の協力も必要ですが、何よりも「倉敷市」という公共団体の強い志があってこそ。そんな美しい町のランドマーク的建築を、倉敷市の「カモ井加工紙」のマスキングテープで描きました。

www.city.kurashiki.okayama.jp

006

大手まんぢゅう／株式会社 大手饅頭伊部屋　岡山県の美味しい手土産といえば、みんなが口を揃えて言う「大手まんぢゅう」。天保8年創業の歴史ある備前名物は、良質の備前米を材料に丹念に仕上げた生地で、たっぷりのこし餡を、薄く包み、蒸し上げます。倉敷美観地区にできた「大手まんぢゅうカフェ」や、小豆染めのエコバッグなどのオリジナル商品を展開するなど、歴史に安住せず、革新し続ける和菓子メーカー。本誌『岡山定食』でも登場し、「d47食堂」では、期間限定で提供予定。

www.ohtemanjyu.co.jp

008

両備グループ／両備ホールディングス株式会社　岡山県を中心に、バスやタクシー、路面電車、フェリーなどの交通機関をはじめ、お店やまちづくり、不動産やIT関連まで、幅広く事業を展開する「両備グループ」。取材中は、磨屋町にあるクリエイティブコワーキングスペース「TOGI TOGI」を利用させていただきました。テレビ会議や、原稿の執筆など、有意義なデスクワーク。街の喧騒からも逃れられ、大変お世話になりました。また、街中を走る路面電車の中には、水戸岡鋭治氏デザインによる、『チャギントン』のキャラクターをモチーフにした電車も走っています。

ryobi.gr.jp

011

西奉還町商店会　江戸幕府の時代が終わり、武士に支給された「奉還金」。それを元手にこの地で商売を始めたことがきっかけで生まれた「奉還町商店街」。その「西」側の有志による共同出資広告。今でも若者たちがさまざまに活動する姿は、地方都市ならではで、ぜひ岡山を旅する時は、訪ねてください。「示 shimeshi」の川上宏明さんによるデザインは、毎週土曜日同じ時間に、定点で撮影した西奉還町の景色を重ね合わせ、哀愁と先進さがミックスした面白い町の姿を表現しています。

www.nishihoukancho.com

012

奥山いちご農園　果物王国・岡山県といえば、桃やマスカットを思い浮かべるかもしれませんが、いちごだって美味しいんです。ご実家が、いちご農家だというグラフィックデザイナー・奥山太貴さんは、農家の実家を改築して、産地直売所としての機能を持たせたフルーツスタンド「plate」をつくりました。直接畑に来て、食べて、飲んでもらうことで、いちごの美味しさをシンプルに伝えています。ジャムやシロップなどの加工品も、お土産にぴったり。

okuyama-ichigo.com

014

BRUNO／ダイアテック株式会社　京都市北区に本社を構える、自転車の製造・卸会社。自転車レースの出場経験が豊富な、スイス人のブルーノ・ダルシー氏と共同開発した小径車「BRUNO」に乗って旅をした、編集部「お気に入りの一本道」を連載中。今号は、岡山県でもっとも有名な観光地と言っても過言ではない「倉敷美観地区」。白漆喰に貼り瓦の（通称）「なまこ壁」が続く、美しい町並みの一本道。どこを走っても絵になる風景。「大原美術館」や「倉敷民藝館」なども近く、コンパクトなBRUNOが、ぴったりの旅でした。

www.brunobike.jp

019

axcis nalf・AXCIS CLASSIC／株式会社アクシス　「ひと手間と、その先。」を、コンセプトに、ひと手間かけて作られたモノや暮らしを提案している「アクシス」。自社ブランドは、「Homestead」「tete-a- tete」「Josue Oris」「Alorat」など。実店舗は、「axcis nalf」と「AXCIS CLASSIC」が、隣接していて、備前焼や倉敷帆布、マスキングテープなどの日用品から、アンティーク家具や照明、インテリアのパーツまでが揃っています。これからの時代に寄り添う、岡山県ならではの暮らし方を、改めて探してみるのもいいかもしれませんね。

● axcis-inc.com

020

有限会社しんとうざん　吉備の中山の観光は、桃太郎伝説が残る「吉備津神社」「吉備津彦神社」に始まり、浦辺鎮太郎設計の「黒住教 大教殿」など、建築好きも訪れたい。また、グラフィックデザイナー・横尾忠則氏のサイトスペシフィックワークや、陶芸家・鈴木治の作品、人間国宝・藤原啓などの備前焼が展示される「まることセンター」も見応え十分。そんな〝晴れの国〟の宝の山・「神道山」へは、岡山駅から車で約20分。毎年初詣には、多くの県民が集まるそうで、岡山県になくてはならない、みんなの山。

086-087

宇野自動車株式会社　岡山市内を駆け巡るバスの中でも、他社の企業広告が一切入っていない、アーバングレーの車体の「宇野バス」。普段使うバス停時刻がわかる『じぶんバス停』や、バスの現在位置がわかる『バスまだ』などのアプリ開発、そして、岡山大学との産官学協同事業の「岡山後楽園バス」など、他社とは一線を画す活動に感銘を受けました。旅情や哀愁感漂う叙情を掻き立てる、影とコンクリートのみの構図は、「QUA DESIGN style」の田中雄一郎さんによるデザイン。

● www.unobus.co.jp

136

株式会社テオリ　倉敷市真備町(まびちょう)は、国内でも指折りのタケノコの産地。僕も大好きですが、残念ながら取材の時には旬が終わってしまっていました（お刺し身など食べたかったなぁ）……美味しいタケノコを育むためには、孟宗竹(もうそうちく)を適時に間伐し、竹林を管理していくことが大切。「テオリ」は、そうした竹の間伐材などを使って家具や日用品を生み出す、サステナブルなプロダクトメーカーです。竹の集成材の独特な表情や、竹ならではのしなりも面白く、広告では椅子の細部を接写。

● www.teori.co.jp

138

株式会社ようび　西粟倉村にある木工メーカーの紹介は、誌面（p.042）をぜひ読んでほしいので、ここでは、商品のご紹介を。広告デザインにも登場する「イトシロウィンザーチェア」は、世界中で愛された椅子を、日本にしかないヒノキの木を使って制作したフラッグシップモデル。座面は、柔らかくて温かく、しかも、軽い。名前の由来は、〝いと白〟き、からだそう。山や森、自然と共生していく〝やがて風景になるものづくり〟を、コンセプトに掲げる「ようび」。スタッフの皆さんの働き方自体も、無理なく健全で、まるで家族のような木工メーカーでした。

● youbi.me

193

元祖きびだんご／株式会社 廣榮堂　絵本作家・五味太郎さんのイラストでお馴染みの「廣榮堂」のきびだんご。きびを材料にした定番商品から、岡山県産の白桃を使用したアレンジ商品まで、今でこそ全国で知られる〝岡山土産〟になっていますが、深掘りすればするほど興味深い〝物語〟が見えてきます……表紙の『鬼』と連動したシリーズ広告は、もちろん『桃太郎』の登場です。「koeido food design labo」を立ち上げるなど、岡山県の食の未来も、担っていこうという意志のある和菓子メーカー。

● koeido.co.jp

Back Cover

岡山県　表紙の『鬼』に対して、裏表紙は、『桃太郎一行』。太陽のようなシンボルは、「晴れの国」岡山県を象徴したデザインで、本を手に取った時の面白さも意識した「岡山号」の締めくくり。何よりも岡山県のみんなが、自分たちの土地を、これからもずっと誇りを持って、仲間と共に生きていってほしい、という願いを込めたデザインです。いつまでも素敵な岡山県でありますように。岡山県の職員の皆さん、ありがとうございました。

● www.pref.okayama.jp

デザイナーのゆっくりをききたい

連載 45

ふつう

「切り身／モノの厚み」

深澤直人

ふと、棒状の羊羹の切り幅はどのくらいだろうと思った。みんなが無意識に同意している切り身の「厚さ」というものがある。食べ物だけでなく、モノをデザインしている時も「もう少し厚く」とか「ちょっと薄いんじゃないかなぁ〜?」とか「うん！ いいんじゃない」とかいう会話はしょっちゅうある。そのわずかな差異を直感的にどう判断しているのかはわからない。でも、誰かや何かに同意を求めているような気がする。それは、周りと調和しているということかもしれない。素材の重さや密度、触らないでもわかる「ちょうどよさ」、食べないでもわかる食感とかによって決まってくるのではないか、と思う。羊羹の切り幅は、そのいい例だと思う。厚過ぎても口に重い感じがする。薄いと羊羹という感じがしない。「口幅ったい」という言葉があるが「言うことが身の程を知らず、生意気である」という意味らしい。幅が広いことが「身の程を知らない」という意味なのが面白い。ちょうどよいを超えると生意気なのである。羊羹の幅は虎屋さんが決めて、みんなに広まりスタンダードになったのか。あるいはみんながいいと感じる共感があって、その幅に集約していったのか。虎屋さんは24ミリだ、と聞いて驚いて笑っ

Futsuu **(Normal): Thicknesses of Cuts and Designs**

Exactly how thick is each cut of those long sticks of *yokan* Japanese bean-jelly confection? Generally, I think people would naturally agree on a single, typical size, not only in cuts of food but in design work as well—we often find ourselves making fine adjustments based on intuitive feel. I'm not sure where this intuition has its roots, but it likely stems from attempts to harmonize with other people.

We have an innate sense of what seems "just right" when it comes to material weight, density and texture, in both crafting materials and foods. The thickness of a *yokan* cut is the perfect example: too thick and it feels cumbersome in the mouth; too thin and it lacks that essential *yokan* quality.

In Japanese, we use the phrase *kuchi-habattai* to mean boastful, conceited, impudent. The phrase, when literally translated based on the characters, means "too wide/large in the mouthed," which I find amusing. Something that is too wide/large is equated with impudence and poor understanding of one's position or standing.

So, were *yokan* cuts standardized because people decided on a specific size, or because everyone shares the (→p. 151)

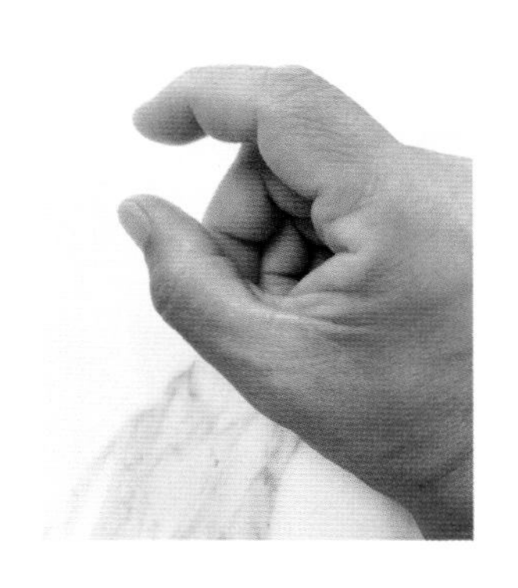

た。決まってるんだ！と。かたちをきめるということ。かたちがきまるということは、決めるも極めるも「そうなっていく」「そうなっていった」ということであり、作り手の意思決定のようにもとられるが、作り手が極まっていった結果を見出したというふうにもとれる。

　鮨は、切り方で決まると思う。もちろん刺し身もだ。そのちょうどいい厚さを職人は競い合っている。味を知ってるから適正な厚さがわかる。自分が子供の頃に食べた鮨よりも、今はだいぶ進化した気がする。別に特殊な握り方ができたと言っているのではない。切り身が極まっていったような気がする。やたらに大きなネタが舎利の上にのっていて、その割に値段が安い鮨には感動しない。そういう話題になる鮨屋と比べれば、良い鮨屋は変わったことをせずに、ふつうである。できるだけふつうの鮨屋になろうとしている気がする。ふつうを競い合うことは奥が深い。極めつけは、切り身の厚さに現れているように思う。最適化を知っていることがふつうを知ることである。

　デザインも同じで極めつけを探している。ふつうの極めつけを知っている。「そんなことどうでもいいじゃないか」という、ふつうのことを、

necessary to focus on eliminating any sense of incongruity, as doing so achieves the state of being "just right."

Whether working with *yokan* or some non-food product like a table or wristwatch—even doors and floors in our living spaces—thickness is essential. Designers need to both consciously decide and intuitively feel what is best, because all thicknesses, and all spaces, in our universe must be harmonized. The act of focusing on such small things, as well as the people who care about them, deserve high praise.

深澤 直人　プロダクトデザイナー。ヨーロッパ、アメリカ、アジアを代表するブランドのデザインや、国内の大手メーカーのコンサルティング等を多数手がける。2018年「イサム・ノグチ賞」など、国内外での受賞歴多数。著書に、『Naoto Fukasawa EMBODIMENT』（PHAIDON出版）など。2012年より、「日本民藝館」館長。

Naoto Fukasawa　Product designer. Fukasawa has designed products for major brands in Europe, America and Asia. He has also worked as a consultant for major domestic manufacturers. Winner of numerous awards given by domestic and international institutions, including 2018 Isamu Noguchi Award. He has written books, 'Naoto Fukasawa EMBODIMENT' (PHAIDON). Since 2012, he is the Director of Nihon Mingei-kan (The Japan Folk Crafts Museum).

実はみんなはどうでもよくなく感じ取っている。だから、ふつうの羊羹の厚さが大切だ。そういった極まってきたことを疎かにしたくはない。こだわりだけではなく、違和感を、不快を、取り除いていくことが、ちょうどいいと称されるゆえんである。

羊羹だけじゃない。本だってテーブルの天板だって腕時計だって、厚さが大切だ。ドアだって床だって生きることに対しても厚さが大切だし、デザインは厚さを極める（きめる）、極める（きわめる）なのだ。全てのものの厚みは、宇宙全体の調和を成していなければならないと思う。

いつも厚みを想うとき親指と人差し指で勝手に空気を測っている。ここから宇宙の全体の中の適性を探り出している。

こだわって生きてきたことや、こだわって生きてきた人を称えよう。

same "just right" intuition? At Toraya, I was pleasantly surprised to find that they slice *yokan* in 23-millimeter increments—a very specific number! It seems that both conscious decision-making and deep-reaching experience combine to create standards.

With sushi (and sashimi), cut thickness can make or break a product, and chefs compete to achieve the perfect cuts. They know the ingredients well, so are able to determine the optimal cut size. Personally, I feel sushi quality has improved since I was a kid because people are better at determining ideal cuts. I'm not impressed with sushi shops that lazily plop huge pieces of fish on rice and serve them at cheap prices; rather, I prefer simple shops that serve ordinary products but do it well, as if their goal is to be the most typical sushi shop around.

Such competition to achieve the greatest "ordinariness" is fascinating. Genuinely good products can be seen in the thicknesses of their cuts, as full knowledge of the ordinary enables understanding of the ideal.

We strive for the same thing in design, learning everything we can about the ordinary. Some say they aren't impressed by ordinariness and mundane, but in reality these are important to most people. Mastering mundane facets, such as *yokan* thickness, is a vital part of setting standards. It's

47 REASONS TO TRAVEL IN JAPAN

002
青森
AOMORI

弘前れんが倉庫美術館
青森県弘前市吉野町2-1
0172-32-8950
www.hirosaki-moca.jp

弘前の風景を残す、現代美術館　木造が主流の明治大正期に煉瓦造で建設され、日本初の大々的なシードル工場などを経た煉瓦倉庫が生まれ変わった。「記憶の継承」をコンセプトに建築家の田根剛さんが設計を手がけ、耐震性能を高めつつ、残せるものは可能な限り残し改修。太陽の光がシードル・ゴールドの屋根にキラキラと反射し、遠くからでもよくわかる。エントランスを抜けると寒冷地に火を灯すような煉瓦の温かな空間が広がり、弘前市出身の美術家・奈良美智さんの作品が出迎えてくれる。天井を打ち抜いた空間はタールが塗られた黒色の壁をそのまま使い、ダイナミックで作品が浮き出てくるようだ。アーティストは弘前に滞在し、唯一無二の作品を発表。私たちは作品や建物を通して、この土地の歴史や文化を知れる。併設されたシードル工房で作られる新しいシードルも私の楽しみの一つだ。（澤田 央／ライター）

左上／奈良美智《A to Z Memorial Dog》2007年 ©Yoshitomo Nara
右上／©Naoya Hatakeyama　下／撮影：小山田邦哉

001
北海道
HOKKAIDO

フプの森
北海道上川郡下川町北町609
01655-4-3223
fupunomori.net

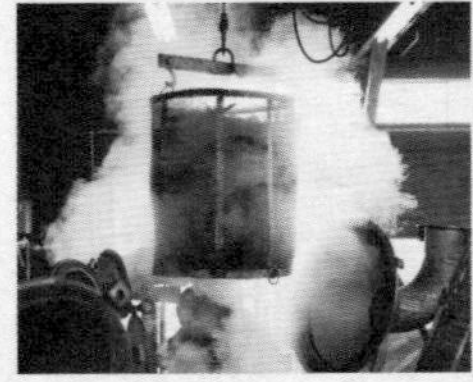

森と暮らす　道北に位置する下川町は、そのほとんどが森林の町だ。下川町は以前から、細い木から木屑に至るまで、森の木を無駄なく使い切るゼロエミッションを実行してきた。その一環として始まったのが、トドマツの枝葉を使ったエッセンシャルオイルづくりで、間伐などの伐採作業時に置き捨てられる枝葉を有効活用している。現在その製造を担っているのは「フプの森」。伐採現場を見学した時はちょうど雨上がりで、足場はぬかるみ、枝葉は水を吸って重く、これらを回収する作業には、相当の力が必要だった。それでも代表の田邊真理恵さんは「森林浴をしながら力仕事をしているので、不眠知らずですよ」と、笑顔を見せていた。蒸留後の葉を枕にしたり、香りだけでなく樹脂も化粧品原料として活用するなど、森と暮らすさらなる方法を発信している。（中井彩子／D&DEPARTMENT HOKKAIDO）

004
宮城
MIYAGI

日本茶フレーバーティー専門店
「OCHACCO」
宮城県牡鹿郡女川町女川2-60
シーパルピア女川 A-6
0225-25-7352
www.ochacco.jp

自由がさらなる自由を生む　「OCHACCO」からお茶が届いた。シンプルで可愛らしいパッケージだ。早速「EARLGREY PORT CITY」を淹れてみた。ベルガモットの香りが漂い、これが緑茶かと戸惑う。緑茶の香りと苦渋味を感じつつも、味のどれかが突出せずバランスがいい。コバルトブルー色のお茶は、自由でアグレッシブさを感じる。代表の内海康生さんは気仙沼出身。気仙沼産イチゴ、蔵王産カモミールやミント、石巻産桃生茶を用いるなど、地元の素材を大事にしている。お酒でこのお茶を淹れてみようと「純米酒 La Jomon」200ミリリットルで、1時間水出しした。すると、赤みが加わり紫がかった美しい群青色に。甘味とコクが加わり、美しく美味しいカクテルに生まれ変わった。自由がさらなる自由を生む。凝り固まった概念を覆すお茶体験をすることだろう。
（熊谷太郎／ La Jomon）

003
岩手
IWATE

kanakeno
岩手県盛岡市中ノ橋通1-5-2
唐たけし寫場1F
019-656-1089（お茶とてつびん engawa）
kanakeno.com

鉄瓶2.0時代　「kanakeno」は、岩手県盛岡市の「タヤマスタジオ株式会社」が手がけた新しい鉄瓶。代表の田山貴紘さんの父・和康さんの鉄瓶は、2019年に天皇陛下への献上品に選ばれた。「kanakeno」はそのクオリティーを引き継ぎながら、今の暮らしに溶けこむ新しいシリーズだ。鉄の風船のように華奢で、女性的な優しいフォルムを持つ。蓋のつまみがヘタになった「あかいりんご」も良いが、僕の一番好みは「みぞれあられ」。あられとは、鉄瓶の表面に凹凸をつける伝統技法だが、kanakenoのあられは小さめで品が良く、手作業によるランダム感が楽しい。加え、盛岡市内にあるカフェ兼ギャラリー「お茶とてつびん engawa」では、実際に使い方を聞きながらお茶を愉しめる。他にもLINEで使い方相談を受けるなど、新たな鉄瓶時代を提案している。（岩井 巽／東北スタンダードマーケット）

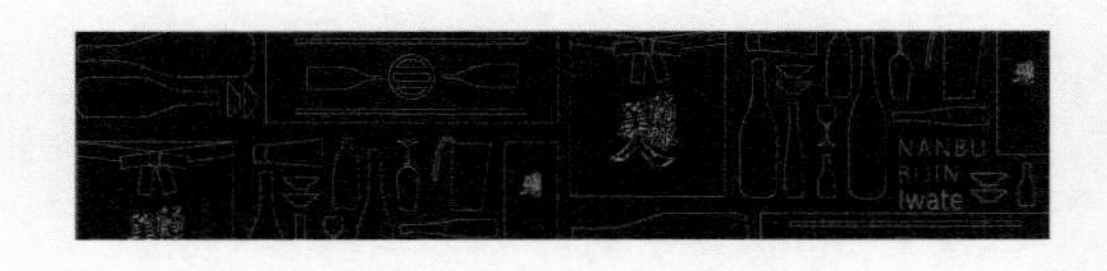

006
山形
YAMAGATA

Bestコンビーフ
山形県寒河江市幸町4-27
0237-86-2100（日東ベスト株式会社）
www.nittobest.co.jp

国産コンビーフ缶が生まれた場所　「Bestコンビーフ」は、国産コンビーフ缶第一号を開発した「日東ベスト」がつくるコンビーフ。癖はないのに、肉質しっかりで、旨味が濃い。かといって、山形でもそれほど知名度が高いわけでもない、知る人ぞ知る隠れた名品だ。この会社の起源は、山形の名産であるさくらんぼを長期保存できるようにと、1937年に山形県寒河江市に誘致され、さくらんぼの缶詰加工を始めたことにある。以来「山形＝さくらんぼ」を全国的に有名にした会社でもある。このコンビーフ缶のパッケージの魅力の一つがクルクルと回しながら開ける「鍵つき枕缶」。この鍵を使って缶を巻き取っていく楽しい仕掛けだ。しかしこの鍵は、残念ながら製造ライン老朽化のため別素材へ代替される予定となっている。惜しむ声も多いが、この味は変わらずこれからも愛され続けるだろう。（児玉佳奈美／アカオニ）

005
秋田
AKITA

小野修生
秋田県秋田市河辺三内柳台59-3
018-883-2831（山の学校 北の風）
facebook.com/yamanogakkokitanokaze

ログビルダーから生ハム職人へ　小野修生さんとの出会いのきっかけは『d design travel YAMAGATA』。2017年に、この本を読んだ小野修生さんが「正酒屋 六根浄」を訪れてくれた。その場で無添加生ハムを試食し、即座に山形市でのワークショップ開催を決定。そのくらい魅力的な味がした。小野さんはログハウスビルダーでもありテレビ番組のコンテストで日本一になったこともある。冬季間は手が空くため、秋田市河辺地区で生ハム作りを始めた。自然溢れる環境の中、表面にカビを繁殖させる様子は、肉の旨味を引き出す発酵の現場でもある。「目指すは土地を反映させた日本流生ハム」と小野さんは言う。ワークショップの開催期間は12月〜2月。請われれば首都圏まで遠征する。「山の学校 北の風」では予約でランチも提供。生ハムの進捗状況を確認しに秋田に旅行するのもいい。（熊谷太郎／La Jomon）

008

茨城

IBARAKI

Coworking & Café yuinowa
茨城県結城市結城183
0296-47-5680
yuinowa.jp

新たな街の接点「yuinowa」　茨城県結城市、この街に、築90年の呉服店をリノベートしたカフェ＆コワーキングスペースがある。結城駅から続く街道を歩くと、街に馴染んだ姿が見えてくる。この場の成り立ちは少し変わっていて、地元建築家の飯野勝智さんと、アパレル企業から結城商工会議所へ転職した野口純一さんの2人が、結城市で縁を生みだす「結いプロジェクト」を立ち上げたことが発端である。このプロジェクトを一言で表すなら「新旧融合」。「結い市」は、神社の秋祭りとマルシェを融合させたイベントで「結いのおと」は、街中の旧家や空き家がステージになる音楽フェスである。このようなイベントをまちづくり会社と共に2010年から続け、その先に誕生したのが「yuinowa」だ。結城市を訪ねるなら、最初にここに立ち寄ってほしい。新たな結城の玄関口なのだから。（坂本大祐／オフィスキャンプ）

007

福島

FUKUSHIMA

食堂ヒトト
福島県福島市大町9-21 3F
024-573-0245
www.facebook.com/hitoto.fukushima

福島の台所「食堂ヒトト」　「食堂ヒトト」を訪れるといつだって、自分がどこにいるのかちょっとわからなくなる。その理由は、生まれ育った福島への安堵感と、住み慣れた東京の安心感と、そのどちらも交わる場所として「食堂ヒトト」が存在しているからだと思う。福島県産野菜を中心とした食事のメニューは、どんなに忙しい時でも、スタッフの方による丁寧な説明付きで提供される。「これは○○町のなんとかさんが、こういう風に作った野菜です」と。頭の中で福島県内ツアーをしながら、一つ一つ食べ進める。お薦めは車麩のカツ。季節のおばんざいは、梁川の農家さんの桃寿カブのお漬物だった。器は会津美里町の五十嵐元次さんのものがいくつか。食後、出されたお茶で一息つきながら、福島ツアーを締めくくる。お土産に、喜多方・ハロウィンスイート（さつまいも）のマフィンをテイクアウトした。（大浪優紀／olto）

010
群馬
GUNMA

やまのは
群馬県渋川市伊香保町伊香保45
0279-25-8300
jinsentei.com/yamanoha.html

群馬土産と本の店　伊香保温泉の石段街166段目、旅館「千明仁泉亭（ちぎらじんせんてい）」に併設する土産物店として2019年にオープンした「やまのは」。入店すると、全面ガラス張りのテラスから、正面に小野子山（おのこやま）の連山、遠くは谷川連峰まで見晴らせる絶景が目に飛び込んでくる。実は全国2位の収穫量を誇る梅の産地、群馬県。自家発電の自然エネルギーを存分に活用する「ゆあさ農園」の梅加工品は人気で、ウユニ塩湖の塩で漬けた梅干しが味に角が無くおすすめだ。老舗刺繍（しにせししゅう）メーカー・笠盛の技術で作られるアクセサリー「トリプル・オゥ（000）」、スキンケアグッズ「OSAJI」など、県内で作られている良品を販売する。本は"旅のお供"として、文庫本のみ、100タイトルほどセレクトされている。ぜひ旅の途中に読んでほしい。「やまのは」で出会った景色と商品が、次の群馬旅のきっかけになることを願っている。（土屋裕一／やまのは）

009
栃木
TOCHIGI

雨余花
栃木県芳賀郡茂木町町田21
0285-81-5006
www.facebook.com/drive.inn.motegi

茂木（もてぎ）の風景を伝えるカフェ　栃木県益子から車で15分ほど、里山の中から見えてくるカフェ「雨余花（うよか）」。パン屋や八百屋食堂、菓子店などが集まる「ドライブイン茂木」の中にカフェを構えている。地元農家による、季節の採れたて野菜を使った料理が食べられる。私が訪れた時は8月の真夏日だったが、笹（ささ）の葉で巻いたおしぼりを凍らせて出しており、あるもので工夫された季節のもてなしに涼やかな気持ちになった。レジ前では生産者の名前と共に野菜を販売しており、これまで見たことがないほど大きな瓜（うり）の前に立っていると調理の仕方を丁寧に教えてくれた。テラス席からは茂木の里山を眺めることができ、春や秋にはどんな景色を見ながら食事ができるだろうか……と楽しみになる。料理を通して土地の食材だけでなく、生産者や茂木の風景を守ってきた人たちがいることを伝えているカフェ。（てづかなるみ／ライター）

012
千葉
CHIBA

せんぱく工舎
千葉県松戸市河原塚408-1
047-710-0628（omusubi 不動産）
www.omusubi-estate.com/?b=senpakukousya

町の未来をつくる場所　「せんぱく工舎」は、1960年に建てられた元社宅を改装したクリエイティブスペース。若手クリエイター中心の拠点となるだけでなく、八柱（やばしら）地域の新しい拠点として、またローカルなエリアからDIY カルチャーを発信する港のような場所として「omusubi 不動産」が運営している。1階には、複数の店主がセレクトし、運営している本屋や、国産ヴィンテージの自転車を扱うショップやカフェ、地元のシェフが季節の素材にあわせた料理を提供するスペインバルがあり、2階は演劇集団や画家、サインペイントを手掛けるクリエイターが入居するアトリエになっている。各入居者のアトリエは、それぞれがDIYし個性豊かな空間だ。さまざまな個性が集まる「せんぱく工舎」は、入居者同士の連携や地域との繋（つな）がりが、日々起きる場所となっている。
（原田 恵／omusubi 不動産）

Photo：加藤甫、川島彩水

011
埼玉
SAITAMA

エキュート大宮開業15周年アニバーサリーエール
埼玉県さいたま市大宮区錦町630
JR 東日本大宮駅中央改札（南）内
048-640-1940（foods stage KITANO fore エキュート大宮店）
www.ace-group.co.jp/store/182_100.html

大宮を表現した最高のビール　新幹線と在来線を結ぶ、埼玉県最大のターミナル駅である大宮駅。駅構内の商業施設「エキュート大宮」は2020年3月に15周年を迎え、その記念企画として埼玉県産食材を使用した限定商品が複数販売された。一際目をひいたのは、コエドブルワリーとの共同企画「エキュート大宮開業15周年アニバーサリーエール」（販売終了）だ。コエドビールは世界にも認められるクラフトビールブランドだが、埼玉をビールで盛り上げるため地元企業との記念ビールの製造も行なっている。さまざまな地域から利用客が集まる大宮駅のイメージから、原料に埼玉県産麦芽や固有ホップのソラチエース、ベルギー酵母にアメリカのビアスタイル……と多様性を感じる商品とした。爽やかな柑橘（かんきつ）の香りがありつつ奥行きのある仕上がりはまさに特別な1本だ。
（山下由希子／ D&DEPARTMENT SAITAMA）

014
神奈川
KANAGAWA

横須賀美術館
神奈川県横須賀市鴨居4-1
046-845-1211
www.yokosuka-moa.jp

市民が誇る絶景の美術館　市制100周年を記念し2007年に開館した「横須賀美術館」。東京湾を望む県立観音崎公園内に立地するガラス張りの建物は、海と山に囲まれた自然豊かな景観に溶け込むよう意図された、山本理顕氏の設計が印象的だ。壁や天井に不規則に空けられた丸い窓や、吹抜けのエントランスホール。差し込む自然光は、季節や天気、時間を変えて、空間や作品の表情をさまざまに照らし出す。柔らかな光を追いかけて窓の外に目を向けると、沖合を一隻のタンカーがゆっくりと航行していた。切り抜かれたその風景は、煌めく青いキャンバスに描かれた、この瞬間この場所でしか見ることが叶わない特別な作品だ。その土地らしい景観や自然を、市民が暮らしの中で守り続けていくこと。この場所から眺める絶景とデザインの創意は、忘れてはならない大切なことを僕らに教えてくれる。（原田將裕／茅ヶ崎市役所）

013
東京
TOKYO

小杉湯
東京都杉並区高円寺北3-32-2
03-3337-6198
kosugiyu.co.jp

暮らしに余白をつくる街のお風呂　家より落ち着く場所がある。高円寺にある1933年創業の銭湯「小杉湯」だ。番台で借りた「IKEUCHI ORGANIC」のバスタオルで体を拭いた時や、湯上がりに待合室のカリモクのソファでくつろいだ時、何気ない心地良さをあちらこちらに感じる。さまざまな文化が行き交う高円寺らしいアートを絡めたイベントや、農家で廃棄となった果実をお風呂に入れて活用した「もったいない風呂」の企画など、町や生産者を銭湯と繋ぐ活動に加え、2020年3月に“銭湯のあるくらし”がテーマの施設「小杉湯となり」を隣接してオープンさせた。「銭湯は日々の暮らしに余白をつくる場所。“ケの日のハレ”を過ごしてほしい」と小杉湯3代目の平松佑介さんは話す。まずは名物ミルク風呂に浸かり“余白”を体感してほしい。（菅沼祥平／d47 design travel store）

016
富山
TOYAMA

富山市立図書館（TOYAMA キラリ）
富山県富山市西町5-1
076-461-3200
www.library.toyama.toyama.jp

開放感溢れる建築の図書館　富山市中心部の再開発の一環として建設された“ガラスの街とやま”のガラス美術館と市立図書館本館、銀行などが入居する複合施設「TOYAMA キラリ」。建築家・隈研吾氏が設計した外観は、立山連峰をイメージしてデザインされたもので、御影石やガラス、アルミなど異素材が組み合わされている。中に入ると、地元産杉の無垢材をふんだんに使用した温かみのある空間が広がる。2階から6階まで続く吹き抜けには、羽板が斜めらせん状に張り巡らされ、開放的なデザインが美しい。晴れた日には図書館の窓から立山連峰が見え、富山の風景を楽しみながら好きな本を読めるほか、ガラス作品を鑑賞したり、併設しているカフェでゆっくり過ごすなど、居心地の良い空間についつい時間を忘れてしまう。富山の文化や風景を感じてほしい。（岩滝理恵／ D&DEPARTMENT TOYAMA）

015

新潟
NIIGATA

まつだい棚田バンク
新潟県十日町市松代3743-1
まつだい「農舞台」内
025-595-6180
www.tanada-bank.com

米づくりが育んだ景色を守る活動　「まつだい棚田バンク」は「大地の芸術祭」のプロジェクトのひとつで、越後妻有の農家の高齢化や、過疎化で担い手のいなくなった棚田を維持するため、全国から里親を募集し棚田を守る活動だ。「dたべる研究所」も里親になっていて、2019年秋に十日町市松代へ稲刈りに訪れた。腰を曲げて稲を刈ると、涼しい風に吹かれても汗がにじむ。高い標高や山深い地域では、機械が入りづらいため人手が必要だ。指導してくれた農家の石口博雄さんが、かつて収量を上げるために川の流れを変えた地形や、旧校舎を改修した共同所有の精米所を見せてくれた。この土地の景色は、米づくりの営みによって生まれたものだ。帰りの車中で「おじいちゃんおばあちゃんの家に遊びに行く気持ちでさ、またおいで」と言ってくれた。松代は、季節が巡るたび帰りたくなる場所になった。（稲村香菜／ dたべる研究所）

Photo : YONEYAMA Noriko

018
福井
FUKUI

井上徳木工
福井県鯖江市河和田町26-19
0778-65-0338
www.tokumokkou.jp

技術と文化を繋ぐ木地工房　越前漆器で知られる漆産地の鯖江で、盆などの角物を手がける木地工房。オーダー製造を中心に漆器の修理も受けるほか、地元で2015年から開催されている「RENEW」などの産地イベントでは、工房見学やワークショップも開催している。工房見学の際、目の前に広がる無数の木地に興奮する私に、二代目の井上孝之さんが「それは祝いの席の膳で、酒器とセットで使われていたんだよ」などと、さまざまに教えてくれる。繊細で美しいフォルムの漆膳や、漆器が使われている当時の暮らしをイメージし、まるで文化人類学をひもとくような感覚に、興味が膨らみ続けた。自社の技術のことだけでなく、それらがどう使われてきたかという文化的背景も教えてくれる。「型を残しておけば、またつくれるからね」と、あたり前のように話していた言葉も印象的だった。(黒江美穂／d47 MUSEUM)

017
石川
ISHIKAWA

factory zoomer / gallery
石川県金沢市広坂1-2-20
076-255-6826
factory-zoomer.com

プラスチックへの偏愛　2020年1月に開催された「nagaoka kenmei plastics」企画展のため、私は、日帰り観光を兼ねて金沢を訪れた。「経年変化したプラスチック」をテーマに、角が取れ、劣化したことで価値を得た中古のプラスチックが展示台を埋め尽くし、それらを購入できる仕組みだった。「金沢21世紀美術館」近くの並木道に面した「factory zoomer / gallery」では、国内外のヒトやモノを紹介する展覧会を開催している。店の奥では「黒いめんちょこ」をはじめとする「factory zoomer」の「スタンダードシリーズ」など、ガラス作家・辻和美さんの作品を見られる。私が訪れた時は、ガラスの代用品で大量生産されたプラスチックを再びガラスに置き換え、新たな造形に仕上げた作品が展示されていた。アプローチの違う両氏のプラスチック偏愛に、私は創作意欲を掻き立てられた。(村田英恵／ D&DEPARTMENT)

020
長野
NAGANO

ちきりや手塚万右衛門商店
長野県塩尻市木曽平沢1736-1
0264-34-2002
www.chikiriya.co.jp

伝統の中に遊び心が光る漆器店　長野県塩尻市木曽平沢では、古くから漆器の製造が行なわれており「木曽漆器」として伝統的工芸品にも指定されている。寛政年間にこの地で創業した「ちきりや手塚万右衛門商店」の現店主で7代目の手塚英明さんは、代々の伝統技術を受け継ぎながらも常に時代に合った新しい感覚を取り入れており、その漆器からは遊び心も感じられる。例えば店内で見つけた「乱根来塗」のぐい呑み。表面は朱色だが長年使っていれば、その気持ちに応えるように下に塗られた黒い漆が顔を出すそうだ。逆に表面が黒漆で下から朱漆が出てくるのが「乱曙塗」という。漆器は愛着を持って使えば使うほど趣が増してくる。また、手から木のぬくもりが感じられ、心が豊かになっていくような気持ちになる。慌ただしい現代だからこそ、普段からこういう器を使いたい。(轟 久志／トドロキデザイン)

019
山梨
YAMANASHI

株式会社イノウエ
山梨県甲府市中小河原町527
055-241-8111
inoue-jewelry.com

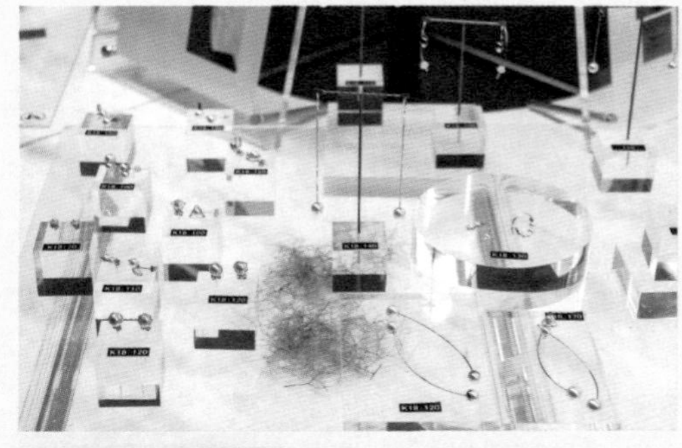

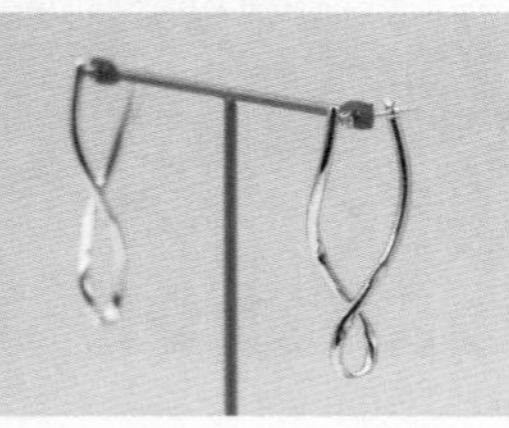

時代の半歩先を行くジュエリー　山梨といえば、武田信玄や富士山、ワイン、桃、さくらんぼなどを思い出すが、実はジュエリーも日本一の生産量を誇る。創業40年を過ぎた今も、ハンドメイドで美しく高品質なジュエリーを提供している「株式会社イノウエ」。「半歩先を行く時代が求めるジュエリーを」との思いで、職人それぞれの感性や応用力を生かしている。男性には色気を、女性には可憐で上品な印象をもたらす。K18やプラチナなど、素材の良さや美しさ、機能美を追求し、ありそうでない、私たちには思いつかない個性的なデザインが魅力的。日常でも取り入れやすく、どのシーンにも身につけやすいことからD&DEPARTMENT YAMANASHI(2020年6月末閉店)でも多くのファンがおり、中には一目惚れで買われていく方もいる。年代を問わず多くの人々を魅了しているジュエリーだ。(佐野邦彦／会社員)

022
静岡
SHIZUOKA

しばちゃんランチマーケット
静岡県掛川市大和田25
090-2342-2725
www.shibachanchi.com

茶どころに生まれた、憩いのコンテナ　山々の斜面に広がる茶畑の美しさに気を取られながら国道39号線を走ると、山間に年季の入った牛舎と、えんじ色の“コンテナカフェ”が現れる。“しばちゃん”こと柴田佳寛さんが家業を継いだ「柴田牧場」と、日本では希少なジャージー種の搾りたての牛乳や乳製品を提供する「しばちゃんランチマーケット」だ。キャンプ場なども近く、ジブリ映画に出てきそうな長閑な里山の風景に、老若男女が集まる。私は、抹茶ソースが掛かった濃厚ソフトクリームを堪能したのち、腹ごなしに牛舎まで歩き、覗き込んで、直々にご挨拶をしてきた。先代から続く家庭への牛乳配達が進化して始まった全国配送便「しばちゃんGift8」も魅力的で、この土地に根づく牛乳屋さんならではの発想。ウェブサイトには倉真温泉や掛川市二の丸美術館などの周辺情報も満載で、丸1日を掛川で過ごすガイドとしても頼りになる。（有賀みずき／ d design travel 編集部）

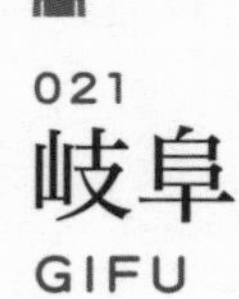

021
岐阜
GIFU

奥村文乃
090-3560-6002

ふるさとを未来に繋ぐ活動家　奥村文乃さんは地元郡上市にUターン後、市の独自制度である「地域おこし実践隊」に就任し、現在は獣害対策により駆除された鹿の角を使ってペンダントを作るワークショップを通して、子どもたちに向けて地元の魅力や現状を伝えている。故郷の岐阜県だけでなく、東京都でも中高生向けのワークショップを開催。「ものづくりではなく、命を頂くことについて考えることが目的。頂いた命が自分の一部になっているからこそ、自身を大切にしたい」と話す奥村さん。その言葉を聞いて、今を生きる私たちは断片的に存在しているのではなく、それぞれのルーツがあって成り立っているのだと改めて思った。未来を担う子どもたちのルーツである、故郷を残すためには、その町の人が元気でなければならないと考え行動する彼女の瞳は、力強く輝いて見えた。（澤浦千秋／ d47 design travel store）

024

三重 MIE

kanae
三重県四日市市三ツ谷町5-10
059-331-1266（株式会社三陶）
santo-bankoyaki.co.jp

毎日使いたくなる、だえんの土鍋　耐熱陶器の産地である三重県四日市市の、四日市萬古焼。近年、市場の縮小や後継者問題により、業界の存続に新たな答えが求められている。1917年創業の萬古焼問屋「三陶」は、職人と食卓を繋ぐ橋渡し役として、物が売れなくなった現代における問屋の使命と存在意義に再び真正面から向き合い、使う人、つくる人、伝える人のさまざまな思いを叶えるキッチンツール「kanae」の提案を始めた。「だえん土鍋」は、核家族化する現代の食卓に合った絶妙なサイズと手入れの簡単さに加え、蓋と本体が個別に購入できる。僕は、ブランドのロゴやグラフィックを担当させていただき、実際に何度も使用して、インテリアに馴染むシンプルな佇まいや使いやすさに加え、「だえん」という難題を試行錯誤の末にクリアした職人技に感動した。萬古焼の尽きない底力を感じる。（丸川竜也／ WIPE）

023

愛知 AICHI

とこなめ陶の森
愛知県常滑市奥条7-22
0569-35-3970（陶芸研究所）
www.tokoname-tounomori.jp

焼物の町の歴史を伝え育む場　知多半島の中央部、日本六古窯の一つに数えられる常滑。甕や壺、急須などの日用品から、土管やタイルなどの建築資材まで、時代の流れとともにさまざまな焼物を生産してきた、愛知のものづくりを語る上で欠かせない焼物の町だ。「とこなめ陶の森」は資料館、陶芸研究所、研修工房を一体とした総称で、平安時代から続く常滑焼の貴重な資料や、江戸時代以降の名工が作った作品の数々、陶芸作家を目指し作陶に励む研修生の姿を一度に体感できる施設。焼物の町の始まりから今までを、現在進行形として未来まで垣間見ることができる場となっている。陶芸研究所は故・堀口捨己による設計。日本の伝統的な意匠に海外のモダニズムを融合させた建築も、見所の一つとして合わせて楽しんでもらいたい。（山田藤雄／ TT"a Little Knowledge Store）

026
京都
KYOTO

堤卓也
京都府京都市下京区間之町通
松原上る稲荷町540
075-351-6279（堤淺吉漆店）
www.kourin-urushi.com

漆の可能性を次世代に伝える　佛光寺の近所にある、1909年創業の漆屋「堤淺吉漆店」。漆の仕入れ、漆漉（こ）しや漆の精製、調合を行ない、伝統産業や修復分野に漆を提供している。4代目の堤卓也さんは、27歳で漆の世界に入り、漆の面白さや魅力に目覚めた。「漆は、扱いが難しい、かぶれるなどのイメージが強く、日常でも漆作品に触れる機会が減っているが、それは漆のことをよく知らないからだ」と堤さんは言う。そこで「うるしのいっぽ」という活動を立ち上げ、幼稚園に漆椀の導入を提案し、幼少期から漆器に触れる機会を設けたり、サーフボードやスケートボード、自転車の車体に漆を塗り、漆を知るきっかけづくりを行なっている。まるで少年のように目をキラキラさせながら、漆の魅力を教えてくれる堤さんの活動を通じて、私も漆に対する概念が変わった。
（那須野由華／ D&DEPARTMENT KYOTO）

025
滋賀
SHIGA

COMMUNE
滋賀県彦根市大藪町1835
0749-26-2027
commune-works.com

琵琶湖の風景をまとう　滋賀県彦根市の「COMMUNE」から、新しいプロダクト「Shibo」が誕生した。滋賀県の高島地域で200年前から受け継がれる伝統的な繊維・ちぢみを、熟練の職人と織り方を試行錯誤し、琵琶湖の風景をイメージした独自の風合いが完成。ちぢみ独特の凹凸によるサラリとした肌触りと、オンオフ着られるデザインで、私もすでに定番アイテムになっている。「COMMUNE」のシャツはデザインから縫製までを久米勝智（かつとし）さんが担うハンドメードが主だが、10年間地元で活動する中、滋賀の生地で滋賀の仲間とレディーメード商品を作りたいと思ったそう。「関わってくれた仲間とゆっくりShiboを育てていきたい」と話す。2020年5月に新店舗も完成した。琵琶湖から吹く風が店内を通り抜ける開放的な空間で、滋賀のものづくりを楽しんでもらいたい。
（杉山知子／神保（じんぼ）真珠商店）

027
大阪
OSAKA

茶寮つぼ市製茶本舗
大阪府堺市堺区九間町東1-1-2
072-227-7809
www.tsuboichi.co.jp

戦争で焼け残った看板からの再興　「千利休の生誕地である堺市に170年以上続く日本茶の老舗」と聞いて思わず尻込みしてしまうが、そこは商人の街。「毎日美味しいお茶を手軽に飲みたい」という相談にも親身に答えてくれる気安さのある店が「つぼ市製茶本舗」。戦後、全てを焼失した堺の町から本社を隣の高石市に移転したが、1945年、焼け跡から奇跡的に見つかった茶の看板とともに、創業の地である堺で再起。町屋を改装した店内は、梁が見える高い天井が気持ち良い。物販のほかカフェが併設され、開放的な空間にゆったりと配置されたテーブルが居心地良く、通いたくなる。美味しい日本茶と一緒にスイーツを楽しむのもいいが、お薦めは香り高い茶粥セット。その他にもお茶を使ったお惣菜も販売していて、お茶の香りや味わいを楽しむ工夫がある。
（石嶋康伸／ナガオカケンメイのメール友の会・管理人）

028
兵庫
HYOGO

ten
兵庫県加西市山下町2349-29
0790-20-6376
sen-nihonshu.jp

一つの田圃と美意識を繋ぐ点と線　加西市で山田錦を育てる酒米農家の名古屋敦さんが「一つの田圃で採れる酒米で一つの日本酒をつくる」をテーマに造った「SEN」と、それを販売するショップ「ten」。農機具小屋のような外観の店内に入ると、モダンな空間にSENの日本酒などの商品が並ぶ。大きなはめ込み窓の外の溜め池や、田や里山が広がる景色に目をやると、「見えている中にうちの田圃もあるんです。あそこの田圃の山田錦がこのお酒になっているんですよ」と名古屋さん。ある時は日本酒蔵によく見かける杉玉が天井から吊され、床には杉の葉が落ちているのを不思議がっていると、奥様の和子さんが「自分たちで杉玉作ってみたんです」と。唐紙のような意匠のパッケージや店内空間も、農作業も酒造りも、同じ意識で生活の中に浸透している美しさがあり、それを訪れる度に感じられる場所。（小菅庸喜／archipelago）

030 和歌山 WAKAYAMA

rub luck cafe
和歌山県有田市千田1470-2
0737-83-0028
proyect-g.com/rubluckcafe

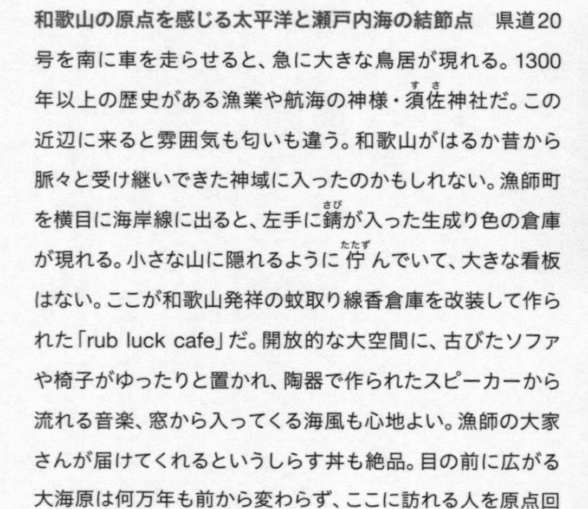

和歌山の原点を感じる太平洋と瀬戸内海の結節点　県道20号を南に車を走らせると、急に大きな鳥居が現れる。1300年以上の歴史がある漁業や航海の神様・須佐神社だ。この近辺に来ると雰囲気も匂いも違う。和歌山がはるか昔から脈々と受け継いできた神域に入ったのかもしれない。漁師町を横目に海岸線に出ると、左手に錆が入った生成り色の倉庫が現れる。小さな山に隠れるように佇んでいて、大きな看板はない。ここが和歌山発祥の蚊取り線香倉庫を改装して作られた「rub luck cafe」だ。開放的な大空間に、古びたソファや椅子がゆったりと置かれ、陶器で作られたスピーカーから流れる音楽、窓から入ってくる海風も心地よい。漁師の大家さんが届けてくれるというしらす丼も絶品。目の前に広がる大海原は何万年も前から変わらず、ここに訪れる人を原点回帰させてくれる。（武田健太／ Wakayama Days）

029 奈良 NARA

人文系私設図書館　Lucha Libro
奈良県吉野郡東吉野村鷲家1798
090-3697-3773
lucha-libro.net

山奥の小さな私設図書館　奈良県東吉野村は山あいの小さな村で、私が暮らす村でもある。ここに「人文系私設図書館ルチャ・リブロ」ができたのは2016年。兵庫県から居を移した研究者の青木真兵さんと、図書館司書の海青子さん夫婦が、自宅を開いて図書館を名乗ったのが開館までの経緯だ。図書館とはいえ彼らの住まいなので「お邪魔します」と縁側から入り、おずおずと館内の蔵書を見て回る。やがて、並んだ本は彼らの脳内なのだと気づいてしまう。手に取った一冊をきっかけに、お互いの興味や、趣味の話に花が咲くのは言うまでもない。また、彼らは「土着人類学研究会」という催しを不定期に開いており、毎回多彩なゲストと共に「その土地に暮らすこと」をテーマに研究を進めている。辿り着くのに一苦労だが、それだけの価値は十分にある唯一無二の図書館である。（坂本大祐／オフィスキャンプ）

032

島根

SHIMANE

出雲民藝館
島根県出雲市知井宮町628
0853-22-6397
izumomingeikan.com

建物ごと民藝を味わう　出西窯の創設者である多々納弘光をはじめ、協力者の援助により1974年に開館した「出雲民藝館」。豪農・山本家の邸宅を改修した建物も民藝品の一つ。敷地内に敷かれた砂利は、いつも手入れが行き届き、清々しい空気が流れる。出雲大社造営の棟梁が手がけた長屋門をくぐると、今も山本家の邸宅として使われる母屋、米蔵を改装した本館、木材蔵を改装した西館が並び、使い込まれてきたからこその美が宿る。展示品は陶磁器や藍染、木綿絣、近代の民藝品から農具など多種多様。民藝運動の父・柳宗悦が発見した日の出団扇や、河井寛次郎が感銘を受けた大津焼の火鉢など、ファンが唸る名品も衒いなく展示され、館の人格のようなものを感じる。松江の工芸店「objects」のオーナーが選品した売店は質も数も県内屈指。民藝の“見る感じる買う”が全てここで楽しめる。(井上 望／ YUTTE)

石見神樂

031

鳥取

TOTTORI

汽水空港
鳥取県東伯郡湯梨浜町松崎434-18
www.kisuikuko.com

鳥取にある空港はコナンと汽水　初めて訪れたのはほんの偶然だった。鳥取の真ん中にある東郷湖をぼうっと眺めたくて、車を停めた先でふと目が合ったのが「本」という看板。佇まいから面白い場所に違いないと思った。店名の「汽水空港」の由来は、目前にある汽水池の「汽」から。淡水と海水が混ざり合う汽水域には、塩分率によってさまざまな種類の生き物が住んでいる。文化も、常識も、いつ入れ替わるかわからないこの世界で、まじり合う境界線のような存在。そして「本屋」を名乗ると本しか置けなくなるので、いろいろな人種が行き交う空港のように、いろんなお店が入っているような場所でありたいから……と「空港」を名乗っているそう。その名が示す通り、ここに来なければ出会えない異文化の坩堝がある。鳥取砂丘コナン空港と汽水空港がある鳥取は、人も物も文化も行き来しやすい場所だ。(アサイアサミ／ココホレジャパン)

033
岡山
OKAYAMA

axcis nalf ／ AXCIS CLASSIC
岡山県岡山市北区田中624-1 ／
岡山県岡山市北区田中134-105
086-250-0878
axcis-inc.com

“晴れの国”の生活　岡山は、瀬戸内海式気候のため年間を通じて天気や湿度が安定し、地震も含めた自然災害も比較的少ない。三大主要河川により水不足の心配もほとんどない。また、岡山市に、最も近い原子力発電所との間には、中国地方を二分する中国山地を挟んでいる。そんな地域に住めば、「暮らし方」そのものへの意識も高くなり、家具や日常の道具などにもそれは表れてくる。「AXCIS」は、岡山の生活をさらに充実なものにしてくれる場所。備前焼作家の寺園証太さんの器や、倉敷帆布を使ったバッグ「BAILER」などの日用品から、オリジナルのランプやアンティーク家具などのインテリアグッズ。ライフスタイルショップであり、ホームセンターでもある。そして、毎来寺の住職・岩垣正道さんの版画作品の個展やフードイベントなども精力的に開催。生活に根差した岡山県ならではの活動体。

（神藤秀人／d design travel 編集部）

Food is life

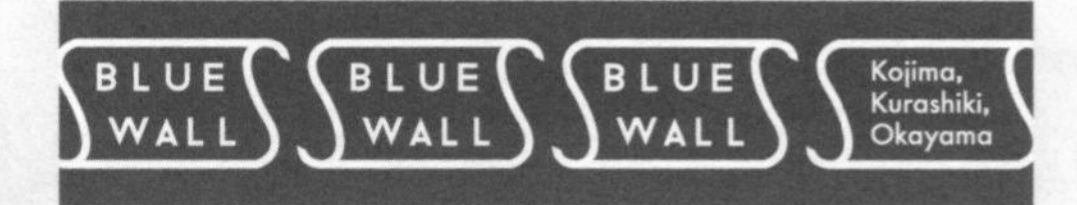

#衣服#テキスタイル#伝統工芸
#風土#小商い#ブランディング
イワサキケイコキカク

INN-SECT
インセクト
Enjoy! Tsuyama!

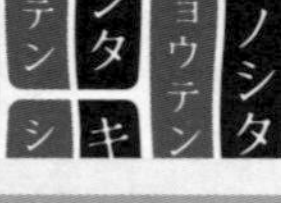

A Magazine:GraphicDesign/BrandingDesign/Photograph
Published by Yuichiro Tanaka & Sonoko Tanaka (QUA DESIGN style)
www.quadesign-style.com/

Shota Terazono

SENNICHI DESIGN ASSOCIATION

岡山経済新聞

A guest house, a renovated old building placed at alleyway of 'Houkan-cho Shopping Arcade', near the west entrance of JR Okayama stasion. Also sets up cafe & lounge for snacks and alcohol, and a select shop for outdoor goods. It will be the casual spot for backpackers, no matter if they travel around Japan or around the world. kamp.jp

035

山口 YAMAGUCHI

関門トンネル人道
山口県下関市みもすそ川町22-34
093-618-3141
(NEXCO 北九州高速道路事務所)
shimonoseki.travel/spot/detail.php?uid=199

海底の県境を歩いて渡る　休日の朝には、多くの市民がウォーキングを楽しむ「関門トンネル人道」は、戦前の1937年の着工から21年の歳月をかけて、1958年に開通した。当時の近代科学の粋を注いだ海底道路トンネルの人道部分だ。入り口の並びにある「関門プラザ」が資料館になっていて、開通当時の様子を知ることもできる。下関市民にとってはあたり前の人道に、60年以上経った今も、世界中から観光客が訪れていると知って驚く。トンネルを使えば、下関から海底を歩いて「門司港レトロ」(福岡県)にも行けて、門司港からは「関門汽船」の船で関門海峡を渡り、豪快に海風を受けて関門橋や下関を眺めながら下関唐戸エリアに戻ることもできる。人道はただの“道”ではなく、市民にも観光客にも関門海峡を体感できるレジャーであり、この場所ならではの“デザイン”だと感じた。(堂本由美／デザイナー)

034

広島 HIROSHIMA

ONOMICHI DENIM SHOP
広島県尾道市久保1-2-23
0848-37-0398
www.onomichidenim.com

自分だけのデニムに出会える街　尾道市に旗艦店を構える「尾道デニム」のコンセプトは、広島県東部・備後地方で作られるデニムと、街の魅力発信。ここのユーズドデニムの作り方は面白い。尾道を舞台に働く人々が、その生活の中で備後産のデニムを穿き、加工では表現できない、自然で個性的な色落ちをそれぞれに刻んでいく。それが、店頭に並ぶ「尾道デニム」となるのだ。このプロジェクトの参加者は、大工、住職、保育士や農家などさまざま。例えば瀬戸内海で働く漁師が穿くと、潮を浴びて生地が固まり、体を動かすことで力強いコントラストが現れる。私が今、愛用しているものは備後地方の伝統産業の魅力発信に奮闘している女性が育ててくれたのだと、店員の方が教えてくれた。その物語も含め、購入を決めた。自然と愛着が湧く色落ちだった。店頭ではその他にも時間をかけてさまざまなシワや色落ちを眺め、それぞれの物語に耳を傾けた。この豊かな買い物体験はそれだけでも大きな価値のあるものだ。(有賀樹広／会社員)

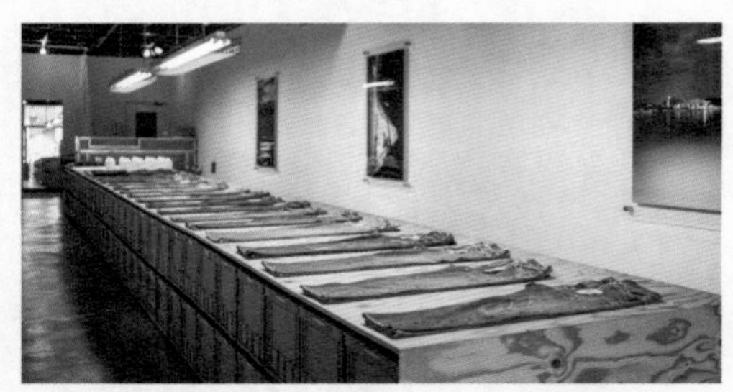

Photo : Tetsuya Ito/by courtesy of DISCOVERLINK Setouchi

037
香川
KAGAWA

三原飴店
香川県木田郡三木町池戸3746-2
087-898-1377
gyousename.com

嫁から嫁へ受け継がれて300年　江戸時代、讃岐国では砂糖・塩・木綿を特産物として「讃岐三白」と呼び重宝してきた。砂糖が出回る前から、甘味料として各家庭でつくられてきたのが「ぎょうせん飴」。麦芽、もち米、水などの天然素材のみでつくられる麦芽水飴だ。もち米を使うため、一般的な水飴に比べ、コクがあり味わい深い。お菓子としてだけではなく、はちみつや砂糖の代わりとして料理にも使える。寒い真冬の間に発芽させ、乾燥させた麦芽粉を炊いたもち米に加え、2日間かけて水飴にする。「三原飴店」では約300年前から、時間と手間のかかるこの工程を、農業の傍ら副業として続けてきた。しかも、製法は代々嫁いできた女性にしか伝承されないと聞き驚いた。現在は9代目の三原紀子さんが、10代目へ製法を伝えながら、伝統の味を守り続けている。脈々と続くおふくろの味を一度味わってほしい。
（やましたかなよ／いりこのやまくに）

036
徳島
TOKUSHIMA

Earthship MIMA
徳島県美馬市美馬町
www.earthshipmima.com

自然エネルギーを肌で感じる宿　東日本大震災を経験し、徳島県美馬町に移住した倉科智子さんが、建築家マイケル・レイノルズさんが提唱し、世界中で造られている「Earthship」と呼ばれる自然エネルギーを使った建物を日本で初めてこの地に造った。古タイヤ、空き缶、空き瓶などの廃材を、土やモルタルなどと組み合わせて建材として活用。建物の南側にあるサンルームから陽の光を取り込み、地中に巡らされた通気口や天窓から風を通す。太陽光発電で蓄電し、雨水はタンクに貯めて生活用水に。排水はろ過され、植物の水やりやトイレに使用される。訪れた日も冷え込む1月だと言うのに、コンクリートに直に足を投げ出せる暖かさだった。ここへ来ると、日頃の暮らし方を振り返る良い機会にもなる。これから家を建てようという人は、ぜひ宿泊してみるのをお勧めしたい。（北室淳子／半田手延べ素麺「北室白扇」）

039
高知
KOCHI

食事と図書　雨風食堂
高知県南国市比江343-4
088-862-3344
amekaze-shokudo.jp

雨の日も風の日も美味しいご飯がただそこにあるという幸せ
目の前は田んぼが一面に広がり、風にそよぐ緑の水稲や、黄金に輝く稲穂に四季の移ろいを感じながら、日替わりのランチをいただける「雨風食堂」。ただ、「本を読みながらご飯が食べられるカフェ」と一線を画すのは、その食事のクオリティー。和食の献立が一堂に会したような、彩りよく盛り付けられた小鉢の種類の多さにも驚くが、一口サイズの土佐巻きや牡蠣の茶碗蒸し、みぞれあんやかき揚げ、具沢山のお味噌汁など、それぞれに丁寧に取られた出汁の味が感じられる。一つ一つの手間暇かけた手仕事の細やかさは、それらがあたり前のように主張することなく、でもしっかりと店主の思いと一緒にお椀の中から滲み出てきて、それはお店の中に潔い凛とした空気感を醸し出す。だからいつも食事と向き合わざるを得なくなり、そして食べ終わった後には、一冊の本を読み終えた後の清々しい満足感に包まれる。（大下健一／JOKI COFFEE）

038
愛媛
EHIME

ごかく西条店
愛媛県西条市本町1-9
0897-53-8513

海苔の町の個性派カツ丼　西条市は江戸時代から続く愛媛最大の海苔の産地で、海苔の加工には石鎚山の伏流水が使われている。その水は「うちぬき」といい、地下に杭を打ち抜けば噴き出る美味しい名水。この美味しい水でできた海苔を使ったのが、この町のソウルフード「ごかくのカツ丼」だ。板海苔と青海苔がのっていて、お好みでマヨネーズをかけて食べる。どちらもサクサクの薄いカツと甘辛い味のタレによく合い、気づけば完食。ダブルトンカツ、ダブルエッグ、キムチやチーズのせなどアレンジも豊富。鰹出汁のお吸い物にはレモン。昭和初期の建物の外壁に絡まる蔦や「かつどん市場」の石碑、8席のカウンターで高校生らと肩を寄せ合い、食後はサッとおばちゃんに食器を下げるやりとりも温かい。私自身も学生時代から通う。並んで部活に遅刻し、先輩に叱られても食べたかった、くせになる味。（日野 藍／公務員・デザイナー）

041
佐賀
SAGA

街のサナーレ・メンタルヘルス・ソリューションセンター
佐賀県伊万里市二里町八谷搦1179
0955-25-9789（クール・ド・ナチュール）
www.machisana.net

人と街と自然との共生　伊万里市郊外にある「癒しとよりよい人生」がコンセプトの「街のサナーレ・メンタルヘルス・ソリューションセンター」、通称「まちさな」。建物は、建築家の津端修一さん草案で、A・レーモンド様式の木造建築。修一さんとその妻・英子さんの日常を綴った映画『人生フルーツ』でも有名になった。街の一角に現れた癒し空間は、働く人や訪れた人を優しく包み込んでいる。私は、時折「まちさな」の「カフェ・クール・ド・ナチュール」でランチをいただく。カフェに面するガラス戸からは、畑で働く「まちさなファーム」の人々の仕事ぶりが窺える。カフェで使用される食材も、この畑で無農薬栽培されており、自然の営みの中で農と食が一体化され、津端夫妻のキッチンガーデンが体現されている。ここへ来ると、人間らしい生き方とは何なのかをいつも考えさせられる。（古賀義孝／光画デザイン）

040
福岡
FUKUOKA

広沢京子
www.cookluck.com

直々に教わる季節の味　野菜を品種でしか区別していなかった私に、育てる人の存在を教えてくれた一人が料理家の広沢京子さんだ。東京から福岡に拠点を移し、生産者さんたちと繋がりを深めてきた広沢さんが、料理を通して生産者と私たちとを繋ぐ取り組み「jikijiki」を始めた。時季に採れたものを、美味しさも想いも詰めて直々に届けるこのプロジェクトは、ジャムの販売から料理教室まで多岐にわたる。さっそく初夏の茄子がテーマの教室に参加してきた。「生でも食べれるよ」と差し出されたのは佐賀の在来種、桐岡茄子。青りんごのような爽やかな甘さが口いっぱいに広がった。マリネやスープなどお洒落な料理が完成していく中、小気味よいテンポの会話のためか、農家のお母さんに裏技を教わっているような気分になったことは、ご本人には内緒だ。（原かなた／会社員）

Photo : Kiyoshi Nakamura

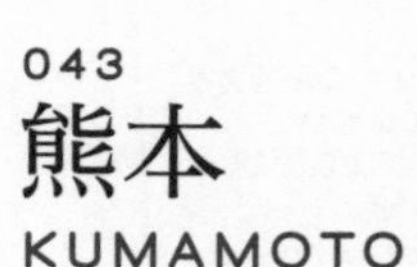

043
熊本
KUMAMOTO

のはら農研塾
熊本県熊本市北区明徳町沖畑字416-1
096-245-1919
www.nohara-nouken.jp

熊本スイカを全国区に！　高い気温と強い日光のもとで育つ、熊本県名産のスイカ。毎年、夏が始まる頃に思い出すようなものだったのに、「のはら農研塾」に出会ってからは、年間を通して気になる存在だ。ゴミから資源への循環に関心を持った野原健史さんが、「循環する農業」を目指して開業した「のはら農研塾」のスイカは、糖度を上げるための添加物などは使わずに、畑で育まれるそのままの優しい甘さ。これが元祖・熊本スイカの味かと虜になっても、うかうかすると収穫時期の予約に出遅れるので要注意！　全国の音楽フェスやマルシェにも精力的に出没して、スイカジュースを販売するほか、ドライにしたり、クラフトビールにしたりと、固定観念を覆し続けてくれるパンクかつ愛情深い農家さんだ。（有賀みずき／ d design travel 編集部）

042
長崎
NAGASAKI

一二三亭
長崎県長崎市古川町3-2
095-825-0831

長崎の郷土料理を味わう　眼鏡橋に程近い中島川沿いにある「一二三亭」は、1896年創業の老舗ながら、地元の人たちも通う郷土料理を気軽に楽しめる店だ。魚料理、豚の角煮なども美味しいが、店の名物は「おじや」。おかゆを炊いて寝かせた後に、鰹節と真昆布で取った出汁で再度炊いたご飯を卵で綴じ、すり胡麻と刻みネギをかけたおじやは、口当たり滑らかなごはんと出汁の旨味が優しく胃に染み渡る。地元の人はハシゴ酒の〆メニューにこれだけを食べに訪れる人も多い。たっぷりの胡麻とネギが口の中でごはんと絡み、丼で出てくる熱々のおじやはあっという間になくなる。牛肉の団子を甘めの出汁で煮た「牛かん」や「五島うどん」など郷土料理も多く、予約すれば卓袱料理も楽しめる。店内には長崎ビードロや古い波佐見焼なども飾られ、目と舌で長崎を楽しめる場所だ。（松井知子／ギャラリー List:）

045

宮崎
MIYAZAKI

わら細工たくぼ
宮崎県西臼杵郡日之影町七折 13782-2
080-1792-0753
753works.jp

伝統の継承と発展　棚田が広がる日之影町に、昔から根付く農業と信仰の営み。その伝統と技術を継承しているのが「わら細工たくぼ」代表の甲斐陽一郎さん。わら細工作りは棚田から始まる。甲斐さんの仲間や家族、地域の人たちで、種を蒔き、苗を育て、田植え、稲の刈り取り、掛け干ししてようやく藁を綯うことができる。洗練された縁起物の藁細工は、昔ながらの物でありながら、現代的なインテリアにもよく馴染む。「かつて身近だった藁も、科学技術の進歩と生活の変化により、日常には縁遠い物になった。そんな時代に挑戦する種から始まるものづくり。暮らしに寄り添い、藁の清らかさと温かみを感じてもらえる藁細工を手がけていきたい」と、甲斐さん。昔からある形に加え、今を生きる甲斐さんの感覚でデザインされた藁細工は、未来への広がりを感じる。（佐藤ちか子／ Ceramic art accessory 千花）

Photo : 川しまゆうこ

044

大分
OITA

ナチュラルワインと各国料理
Restaurant Sardinas
大分県中津市耶馬溪町大島1476
0979-56-2828
www.restaurant-sardinas.com

ここに耶馬溪の新しい「絶景」がある　奇岩奇勝で知られる耶馬溪。その渓谷美をつくる山国川を見下ろす古民家を改装して、2019年の5月にオープン。この店の特徴は、曜日や時間によってさまざまな表情を見せるところ。金・土曜の夜は、ワインと共に愉しむ料理の日。日・月曜の昼は、前身の「亜細亜食堂 cago」から人気のメニューが食べられるエスニックランチの日。そして、サルディナスの料理を、簡単に手に入る食材で再現できる料理教室「BUENA VISTA」。店ではオリジナル調味料も販売している。妥協することなく造られた店内、丹精込めた料理、店主が納得いくまで吟味したナチュラルワイン、その全てを堪能したいと思わせる雰囲気がここにはある。そんな彼らがサーブしてくれたものと窓から見える景色を同時に目にした時、ここが新たな耶馬溪の“絶景”だと思うのだ。（古岡大岳／豆岳珈琲）

047
沖縄
OKINAWA

Doucatty
沖縄県南城市佐敷新里740-1
098-988-0669
doucatty.com

日常の「おきなわ」をモチーフに 京都府出身の田原幸浩さんと、沖縄県出身の琴子さんが生み出す「Doucatty」の手ぬぐいやTシャツ、布小物。幸浩さんが図案を描き、グラフィックデザインの経験を持つ琴子さんがレイアウトする。「Doucatty＝ドゥカッティ」とは沖縄のことばで“自分勝手”とか、“気ままに”という意味。自然に溢れた場所で自分たちらしく制作活動を続けるふたりの生き方を表しているようだ。描かれる動植物やパターンからは、観光目線の沖縄ではなく、自然との共生や、大きな包容力さえ感じられる。版をずらして重ね染めすることで、一枚一枚表情の違う仕上がりにするなど、日々重ねる工程をバージョンアップさせていく姿にデザインを感じる。購入後に幸浩さんが描いてくれる手書きのレシートも愛らしく、嬉しい気持ちにさせてくれる。
（松崎紀子／ DESIGN CLIPS）

046
鹿児島
KAGOSHIMA

ユクサおおすみ海の学校
鹿児島県鹿屋市天神町3629-1
0994-31-8193
yukusa-ohsumi.jp

自然と共に未来をつくる新しい学校 2013年に廃校となった鹿屋市立菅原小学校を活用した体験型宿泊施設「ユクサおおすみ海の学校」は、“自由まるごと学校空間”をテーマに、外観も教室もなるべく既存の形を残しながら、新しい要素を加え進化した。職員室に設置された鏡貼りの箱型設備は、LIXILとブルースタジオの共同開発によってつくられたユニットバス。異空間の雰囲気を放つ教室もあれば、校庭の向こう側に広がる大海原の絶景に心地よい潮風が吹き抜け、癒される空間も。ここではさまざまな体験教室が行われ、海のことを学ぶ時間を大切にする。親子で海岸を歩き、磯の生き物に触れ、体験することで環境問題を考える。古いものを自由に活用する知恵が、子どもたちと町の未来をつくると感じた。今後も挑戦を続け発展していく海の学校を応援したい。
（崎山智華／ D&DEPARTMENT KAGOSHIMA）

dの会員みんなでつくる

ロングライフデザインの会 会員紹介

今村製陶［JICON］
version zero dot nine
菓心 おおすが
笠盛
亀﨑染工有限会社
カリモク家具
木村石鹸工業
Classic Ko
薩摩藩英国留学生記念館
JINS
セブンデイズホテル
ソウワ・ディライト
ダイアテック［BRUNO］
大地の芸術祭
デザインモリコネクション
合同会社てて協働組合
ドライブディレクション
日本デザイン振興会
梅月堂
FUTAGAMI
ムーンスター
明太子のふくや
山梨県産業技術センター
山梨ジュエリーミュージアム
山本貴紀

相沢慎弥／Akimoto Coffee Roasters／淺井勇樹／あさのゆか／Ai Iishi／
Mayumi Isoyama／一湊珈琲焙煎所／inutaku3／石見神楽東京社中 小加本行広
浮 千秋／うた種／株式会社 内田材木店／Oita Made／大治将典／大山 曜
オクムサ・マルシェ／風の杜／釜浅商店／神坂抽佳里／上村 薫
機山洋酒工業 株式会社／北室白扇／金星堂薬膳茶 Lab.／kumustaka45
桑原宏充／小泉 誠／コクウ珈琲／小林温美／小船井健一郎
こもガク（三重県菰野町）／コルポ建築設計事務所／コンセプトラボ・ラゴム
坂口慶樹／坂本正文／サトウツヨシ／saredo されど
三柏工業 株式会社 クラスクラブ事業部 長澤登志也／シオタナナミ
志ば久 久保 統／Shovelz／JUN&MOMO／白川郷山本屋 山本愛子
白藤協子／sail 中村圭吾／田頭慎太郎／高塚正広／竹内葉子／竹原あき子
ちいさな庭／妻形 円／紡ぎ詩／水流一水／DESIGN CLIPS／鳥居大資
DRAWING AND MANUAL／中之条町観光協会／中村亮太
西村邸一杉本雄太／西山 薫／初亀醸造 株式会社／林口砂里
パラスポ！河原レイカ／原田將裕（茅ヶ崎市役）／HUMBLE CRAFT
東島未來／日の出屋製菓 千種啓資／POOL INC. 小西利行／深石英樹
藤原慎也／plateau books／古屋万恵／helios8／matka／マルヒの干しいも
黒澤一欽／宮崎会計事務所／村田明香／室伏将成／望月章弘／森内理子
MonMonMon／八重田和志／ヤマコヤ やまさき薫／山崎義樹／横山正芳
リトルクリエイティブセンター／鷲平拓也／Nabe／匿名 39名

D&DEPARTMENT SHOP LIST

D&DEPARTMENT HOKKAIDO by 3KG
北海道札幌市中央区大通西17-1-7
011-303-3333
O-dori Nishi 17-1-7, Chuo-ku, Sapporo, Hokkaido

D&DEPARTMENT SAITAMA by PUBLIC DINER
埼玉県熊谷市肥塚4-29 PUBLIC DINER 屋上テラス
048-580-7316
PUBLIC DINER Rooftop Terrace 4-29 Koizuka, Kumagaya, Saitama

D&DEPARTMENT TOKYO / dたべる研究所
東京都世田谷区奥沢8-3-2
03-5752-0120
Okusawa 8-3-2, Setagaya-ku, Tokyo

D&DEPARTMENT TOYAMA
富山県富山市新総曲輪4-18 富山県民会館 1F
076-471-7791
Toyama-kenminkaikan 1F, Shinsogawa 4-18, Toyama, Toyama

D&DEPARTMENT KYOTO
京都府京都市下京区高倉通仏光寺下ル新開町397 本山佛光寺内
ショップ 075-343-3217　食堂 075-343-3215
Bukkoji Temple, Takakura-dori Bukkoji Sagaru Shinkai-cho 397, Shimogyo-ku, Kyoto, Kyoto

D&DEPARTMENT KAGOSHIMA by MARUYA
鹿児島県鹿児島市呉服町6-5 マルヤガーデンズ4F
099-248-7804
Maruya gardens 4F, Gofuku-machi 6-5, Kagoshima, Kagoshima

D&DEPARTMENT OKINAWA by OKINAWA STANDARD
沖縄県宜野湾市新城2-39-8
098-894-2112
Aragusuku 2-39-8, Ginowan, Okinawa

D&DEPARTMENT SEOUL by MILLIMETER MILLIGRAM
ソウル市龍山区梨泰 院 路240
+82 2 795 1520
Itaewon-ro 240, Yongsan-gu, Seoul, Korea

D&DEPARTMENT JEJU by ARARIO
済州島 済州市 塔洞路 2ギル 3
+82 64-753-9904/9905
3, Topdong-ro 2-gil, Jeju-si, Jeju-do, Korea

D&DEPARTMENT HUANGSHAN by Bishan Crafts Cooperatives
安徽省黄山市黟县碧阳镇碧山村
+86 13339094163
Bishan Village, Yi County, Huangshan City, Anhui Province, China

d47 MUSEUM / d47 design travel store / d47食堂
東京都渋谷区渋谷2-21-1 渋谷ヒカリエ 8F
d47 MUSEUM / d47 design travel store 03-6427-2301 / d47食堂 03-6427-2303
Shibuya Hikarie 8F, Shibuya 2-21-1, Shibuya, Tokyo

ちょっと長めの、編集長後記

裏表のない、〝晴れの国〟の豊かな暮らし。

神藤秀人

「岡山号」は、制作費の一部を、本書初のクラウドファンディングを利用した資金集めから始まった。過去の取材先の皆さんをはじめ、たくさんの方の支援もあって、目標金額に達成することができた。取材が始まる前から、念入りに準備を進め、何百人もの方へダイレクトメッセージを送り、毎週のように新着情報を上げ、SNSもできる限り活用してきた。もちろん、その成果も間違いなくあるが、僕は、この『d design travel』そのものに、人を巻き込む力があると信じている。本書の本質は、単なる旅行ガイドではなく、旅を通して、地域で努力している人たちの姿を伝えていくこと。そして、地域の「らしさ」や「個性」を守ろうと、呼びかけていくこと。「デザイン」自体が、意匠や美しさだけではなく、その土地で暮らすことに重きを置いた〝文化存続活動〟そのものであるように、僕たち編集部が目指しているのも同じ。そして、それは日本全国の地域が苦境にある今、むしろ求められていることなのではないか。そんな願いを込めて、あと10年、47都道府県を制覇する日まで、みんなで頑張っていきたい。

いずれにせよ、皆さんのお陰で無事に「岡山号」が完成するのだが、五味太郎さんの『鬼』の表紙に、違和感を持つ人もいるかもしれない。なぜ鬼なの?と。岡山といえば、桃太郎伝説が残る土地。中でも、面白い話があるので紹介しよう。桃太郎のモデルとなった大吉備津彦命(おおきびつひこのみこと)は、朝廷の皇子。そして異国から来て乱暴を働き、住民を苦しめていた温羅(うら)(こちらは鬼のモデル)。大吉備津彦命は、温羅を退治し、平和をも

Momotaro. Here, they tell an interesting version of the legend. The country of Kibi is ravaged by a foreign *oni* (demon) named *Ura*. The prince of the Yamato Dynasty defeats the *oni* and brings peace to the land – the classic Momotaro story. But there are those who say the prince was actually *Ura* himself, a visitor from Korea who was popular with the people of Kibi. The emperor, fearing Kibi's prowess in iron-making, invaded the country and defeated *Ura*. To placate the angry populace, he enshrined *Ura* as a god. Even in ancient Japan, princes could be made into *oni* to justify inconvenient truths…

In town and country, at work and at play, the people of Okayama make each day worthwhile. Their legends may tell of strife between opposing forces, like Momotaro and the *oni*. But in their own lives there are no opposing sides, no dividing lines. They enjoy a sense of security that comes from living in the Land of Sunshine, coupled with a spirit of sustainable coexistence. There is no right or wrong; all may live as they wish. That, I think, is the essence of Okayama.

たらしたという。これが俗にいう『桃太郎』の原形。しかし、この大吉備津彦命が祀られている「吉備津神社」、大吉備津彦命は、実は温羅なのではないか、という説がある。温羅というのは、朝鮮半島の百済国の皇子で、この地に製鉄技術をもたらした人物。住民とも友好的で、人望も厚かったが、吉備国の製鉄技術を恐れた朝廷が、吉備国に侵略、温羅を退治。住民の不満を和らげるために、温羅を神として祀ったという。昔の日本でも、事実を正当化するために、温羅を鬼のような悪者に仕立てあげたとか……

　話を現代に戻すと、今号は、リモート取材にも挑戦し、岡山県に入る前から、岡山のキーマンの皆さんに取材協力していただいた。郷土料理や果物、民藝やデニムのことまで、何も知らない僕に、岡山の人は親切に教えてくれた。もちろん岡山に入ってからもさまざまな場所に案内してくれ、その都度、岡山県の生活が羨ましく思った。朝、太陽が昇ると、いつものように一つ一つの時間を、丁寧に過ごしていく。街でも田舎でも、仕事でも遊びでも、日常の生活を有意義なものにしている。それは美しい暮らしに寄り添う、「民藝」などの産出にもきっと繋がっているだろう。桃太郎という〝仕事〟と、鬼という〝暮らし〟。物語には対極の生き方が存在するが、岡山県の人々の中には、表も裏も、オンもオフも、分け目のない総括した生き方がある。それは「晴れの国」という安堵感がそうさせもし、サステナブルな地域づくりへの意識も高い。いいも悪いもなく、誰もが自由な生き方をしたっていい。それが岡山の気質なのだと思う。

Slightly Long Editorial Notes

By Hideto Shindo

A rich life in the Land of Sunshine

The Okayama issue began with a fundraiser. Some production costs were covered through crowdfunding —a first for us. This and the generosity of people featured in previous issues helped us meet our funding goal. That, I believe, is the power of *d design travel*: the power to get others involved. Our magazine is not just a travel guide. It's a showcase for the people, shops, and businesses whose efforts make each region what it is. And it's an advocate for preserving the unique qualities that define those regions. Design is more than just aesthetics. It's an act of cultural preservation that emphasizes local lifestyles. These days, with communities across Japan struggling to survive, perhaps it's what we all need.

Some people may wonder why Taro Gomi's *Oni* is on the cover. Okayama is said to be the home of the folk hero

23
ベンガラ館(→p. 083)
岡山県高梁市成羽町吹屋
0866-29-2136　9:00–17:00
(12月〜4月中旬は16:00まで)　年末休
Bengara-kan(→p. 080)
Fukiya, Nariwa-cho, Takahashi, Okayama

24
須貝邸(→p. 083)
岡山県真庭郡新庄村1144-1
050-5434-6430　1泊2食付き1名
15,454円〜(平日2名利用時)
Sugaitei(→p. 083)
Shinjo-son 1144-1, Maniwa-gun, Okayama

25
旧遷喬尋常小学校(→p. 084)
岡山県真庭市鍋屋17-1　0867-42-7000
9:00–18:00　水曜休(祝日の場合は翌平日休)
Former Senkyo Elementary School(→p. 083)
Nabeya 17-1, Maniwa, Okayama

26
妖精の森 ガラス美術館(→p. 084)
岡山県苫田郡鏡野町上齋原666-5
0868-44-7888　9:30–17:00
(入館は16:30まで)　火曜休(祝日の場合は開館)、年末年始休
Fairywood Glass Museum(→p. 083)
Kamisaibara 666-5, Kagamino-cho, Tomata-gun, Okayama

27
PORT ART&DESIGN TSUYAMA(→p. 084)
岡山県津山市川崎823　0868-20-1682
10:00–18:00　火曜休(祝日の場合は翌平日休)、祝日の翌平日休、年末年始休
PORT ART & DESIGN TSUYAMA(→p. 083)
Kawasaki 823, Tsuyama, Okayama

28
奈義町現代美術館(→p. 084)
岡山県勝田郡奈義町豊沢441
0868-36-5811　9:30–17:00(入館は16:30まで)　月曜休(祝日の場合は翌日休)
Nagi Museum of Contemporary Art(→p. 083)
Toyosawa 441, Nagi-cho, Katsuta-gun, Okayama

29
カモ井加工紙株式会社「mt」プロジェクト事務局(→p. 088)
086-465-5800　www.masking-tape.jp
Kamoi Kakoshi Co., Ltd. "mt" Project Office
(→p.088)

30
BIG JOHN 児島本店 (→p. 091, 096)
岡山県倉敷市児島味野2-2-43
086-473-1231　9:00–17:00　年末年始休
BIG JOHN Kojima Main Store(→p. 091, 096)
Kojima-ajino 2-2-43, Kurashiki, Okayama

31
株式会社ショーワ(→p. 091)
岡山県倉敷市児島稗田町2006
086-472-8181　9:00–12:00、13:00-16:00
土曜・祝日は不定休、日曜休、年末年始休
SHOWA Co., Ltd.(→p. 091)
Kojima-hieda-cho 2006, Kurashiki, Okayama

32
倉敷帆布 本店(→p. 095)
岡山県倉敷市曽原414-2　086-485-2112
10:00–17:00　年末年始休
Kurashiki Hampu Main Store(→p. 092)
Sobara 414-2, Kurashiki, Okayama

33
倉敷本染手織研究所(→p. 095, 140)
岡山県倉敷市本町4-20　086-422-1541
10:00–16:00　土〜月曜休
Kurashiki Dyeing and Hand-weaving Research Center(→p. 095, 140)
Honmachi 4-20, Kurashiki, Okayama

34
寺園証太(→p. 108)
岡山県瀬戸内市牛窓町長浜518-3
0869-34-5369
Shota Terazono(→p. 108)
Nagahama 518-3, Ushimado-cho, Setouchi, Okayama

35
一陽窯(→p. 109)
岡山県備前市伊部670　0869-64-3655
9:30–17:00　無休
Ichiyougama(→p. 109)
Inbe 670, Bizen, Okayama

36
森本仁(→p. 110)
www.instagram.com/mm_hitoshi/
Hitoshi Morimoto(→p. 110)

37
鳴瀧窯(→p. 111)
岡山県備前市伊里中461　0869-67-3328
9:00–17:00　木曜休、他不定休
Narutakigama(→p. 111)
Irinaka 461, Bizen, Okayama

38
あわくら温泉　元湯(→p. 118)
岡山県英田郡西粟倉村影石2050
0868-79-2129
ゲストハウス　1泊食事なし1名
個室 5,500円〜(2名利用時)
カフェレストラン／日帰り温泉
15:00–22:00　水曜休
Awakura Onsen Motoyu(→p.118)
Kageishi 2050, Nishiawakura-son, Aida-gun, Okayama

39
西粟倉・森の学校(→p. 120)
岡山県英田郡西粟倉村長尾461-1
0868-73-0338
鳥取自動車道 西粟倉ICから車で約5分
Nishiawakura Mori no Gakko(→p. 123)
Nagao 461-1, Nishiawakura-son, Aida-gun, Okayama

40
四ツ手網(→p. 126)
Yotsudeami(→p. 126)

41
moderado music(→p. 137)
www.instagram.com/blancocielo/
moderado music(→p. 137)

42
451 ブックス(→p. 139)
岡山県玉野市八浜町見石1607-5
0863-51-2920　12:00–18:00
火〜金曜休(祝日の場合は営業)
451 Books(→p. 139)
Miishi 1607-5, Hachihama-cho, Tamano, Okayama

43
BAILER(→p. 140)
3sun.jp
BAILER(→p. 140)

44
奥山いちご農園 | plate(→p. 140)
岡山県岡山市東区豊田663-3
086-948-2708　11:00–18:00　月・木曜休
Okuyama Ichigo Farm | plate (→p. 140)
Toyota 663-3, Higashi-ku, Okayama, Okayama

45
koti brewery(→p. 140)
kotibeer.com
koti brewery(→p. 140)

46
alimna(→p. 140)
岡山県久米郡美咲町安井407
0868-64-0066　11:00–17:00　日〜木曜休
alimna (→p. 140)
Yasui 407, Misaki-cho, Kume-gun, Okayama

47
名刀味噌本舗(→p. 140)
岡山県瀬戸内市長船町土師14-3
0869-26-2065　9:00–17:00　日曜・祝日休
Meitou Miso Honpo(→p. 140)
Haji 14-3, Osafune-cho, Setouchi, Okayama

48
備中和紙製造所(→p. 140)
岡山県倉敷市水江1586-126
086-465-2705　10:00–17:00
日曜・祝日休(要予約)
Bitchu washi Factory(→p.140)
Mizue 1586-126, kurashiki, Okayama

49
hinokiLAB(→p. 140)
hinokilab.co.jp
hinokiLAB(→p. 140)

50
axcis nalf / AXCIS CLASSIC (→p. 170)
岡山県岡山市北区田中624-1／岡山県岡山市北区田中134-105
086-250-0878　11:00–18:00(土・日曜、祝日は10:00–19:00)　水曜定休(祝日の場合は営業)
axcis nalf / AXCIS CLASSIC(→p. 170)
Tanaka 624-1, Kita-ku, Okayama, Okayama / Tanaka 134-195, Kita-ku, Okayama, Okayama

d MARK REVIEW INFORMATION (→ p. 185)

d design travel OKAYAMA INFORMATION

備前福岡 一文字うどん(→p. 076, 112)
📍岡山県瀬戸内市長船町福岡1588-1
☎0869-26-2978 🕒10:00–15:00
水曜休、第1·3火曜休
Ichimonji Udon(→p. 077, 112)
📍Achi 3-12-10, Kurashiki, Okayama

サンレモン(→p. 112)
📍岡山県倉敷市児島小川5-1-1
☎086-472-5281 🕒8:00–20:30(L.O. 19:30)
木·金曜休
Sun Lemon(→p. 112)
📍Kojima-ogawa 5-1-1, Kurashiki, Okayama

さん・はうす(→p. 083, 112)
📍岡山県真庭市目木1948-1
☎0867-42-3378 🕒10:30–15:00 月·火曜休
Sun House(→p. 083, 112)
📍Meki 1948-1, Maniwa, Okayama

焼肉 千恵(→p. 112)
📍岡山県津山市小性町39 ☎0868-25-2929
🕒11:00–14:00、17:00–21:30 月曜休
Yakiniku Chie(→p. 112)
📍Kosho-machi 39, Tsuyama, Okayama

畑でとれるアイスのお店 AOBA(→p. 072, 113)
📍岡山県岡山市北区内山下1-15-10
☎086-206-4740 🕒12:00–17:00
(金·土·日曜、祝日は18:00まで)
"farm-to-table" ice cream shop AOBA
(→p. 073, 113)
📍Uchisange 1-15-10, Kita-ku, Okayama, Okayama

かっぱ(→p. 113)
📍岡山県倉敷市阿知2-17-2
☎086-422-0440 🕒11:20–14:00、17:00–19:30
月曜休(祝日の場合は火曜休)
Kappa(→p. 113)
📍Achi 2-17-2, Kurashiki, Okayama

ルーラルカプリ農場(→p. 113)
Rural Caprine Farm(→p. 113)

KAMP Backpackers Inn & Lounge(→p. 075, 113)
📍岡山県岡山市北区奉還町3-1-35
☎086-254-1611 🕒11:00–23:00 無休
KAMP Backpackers Inn & Lounge(→p. 075, 113)
📍Hokan-cho 3-1-35 1F, Kita-ku, Okayama, Okayama

郷土料理 竹の子(→p. 113, 133)
📍岡山県倉敷市阿知3-12-10 ☎086-425-7720
🕒17:00–23:00(L.O. 22:30) 日曜、祝日休
Takenoko(→p. 113, 135)
📍Achi 3-12-10, Kurashiki, Okayama

1 **黒住教 大教殿**(→p. 071)
📍岡山県岡山市北区尾上神道山
☎086-284-2121 🕒無休
Kurozumikyo Main Temple(→p. 071)
📍Shintozan, Onoue, Kita-ku, Okayama, Okayama

2 **宇野自動車株式会社**(→p. 071)
📍岡山県岡山市北区表町2-3-18
☎086-225-3311
Uno Jidosha Co., Ltd.(→p. 071)
📍Omote-cho 2-3-18, Kita-ku, Okayama, Okayama

3 **岡山後楽園**(→p. 072)
📍岡山県岡山市北区後楽園1-5
☎086-272-1148 🕒7:30–18:00
(10月〜3月19日は8:00–17:00)
Okayama Korakuen(→p. 073)
📍Korakuen 1-5, Kita-ku, Okayama, Okayama

4 **夢二郷土美術館 本館**(→p. 072)
📍岡山県岡山市中区浜2-1-32 ☎086-271-1000
🕒9:00–17:00(入館は16:30まで)
月曜休(祝日の場合は翌日休)、年末年始休
Yumeji Art Museum Main Building.(→p. 073)
📍Hama 2-1-32, Naka-ku, Okayama, Okayama

5 **廣榮堂 中納言本店**(→p. 072, 140)
📍岡山県岡山市中区中納言7-32
☎086-272-2268 🕒9:00–18:00(L.O.17:30)元日休
Koeido Chunagon Main Store(→p.072, 140)
📍Chunagon 7-32, Naka-ku, Okayama, Okayama

6 **折り鶴**(→p. 073)
📍岡山県岡山市北区錦町1-8
☎086-232-1032 🕒11:00–18:00 月·木曜休
Orizuru(→p. 072)
📍Nishiki-machi 1-8, Kita-ku, Okayama, Okayama

7 **ココホレジャパン**(→p. 073)
📍岡山県岡山市北区奉還町2-9-30 ℹ kkhr.jp
Kokohore Japan(→p. 072)
📍Hokan-cho 2-9-30, Kita-ku, Okayama, Okayama

8 **Guesthouse&Lounge とりいくぐる**(→p. 075)
📍岡山県岡山市北区奉還町4-7-15
☎086-250-2629 ℹ 1泊1名 4,000円〜
Torii Kuguru Guesthouse & Lounge (→p. 075)
📍Hokan-cho 4-7-15, Kita-ku, Okayama, Okayama

9 **山の上のロースタリ**(→p. 075)
📍岡山県瀬戸内市牛窓町牛窓412-1
☎0869-34-2370 🕒10:00–17:00
Yama no Ue no Roastery (→p. 075)
📍Ushimado 412-1, Ushimado-cho, Setouchi, Okayama

10 **須浪亨商店**(→p. 076, 140)
☎090-5268-1509 ℹ maruhyaku-design.com
Sunami Toru Shoten(→p.077, 140)

11 **融民芸店**(→p. 077)
📍岡山県倉敷市阿知2-25-48 ☎086-424-8722
🕒10:00–18:00 月曜休、第2·4火曜休
Toru Mingeiten(→p. 076)
📍Achi 2-25-48, Kurashiki, Okayama

12 **工房イクコ**(→p. 078)
📍岡山県倉敷市中央1-12-9 ☎086-427-0067
🕒10:00–18:00 月曜休(祝日の場合は営業)
Koubou Ikuko(→p. 076)
📍Chuo 1-12-9, Kurashiki, Okayama

13 **日本郷土玩具館**(→p. 078)
📍岡山県倉敷市中央1-4-16 ☎086-422-8058
🕒ショップ 10:00–17:30 年始休
Japanese Folk Toy Museum(→p. 076)
📍Chuo 1-4-16, Kurashiki, Okayama

14 **酒とおばん菜 野の**(→p. 078)
📍岡山県倉敷市中央1-8-7 ☎090-8990-2065
🕒18:00–24:00 不定休
Obanzai Nono(→p. 076)
📍Chuo 1-8-7, Kurashiki, Okayama

15 **林源十郎商店**(→p. 079)
📍岡山県倉敷市阿知2-23-10 ☎086-423-6010
🕒10:00–18:00 月曜休(祝日の場合は翌日休)
Hayashi Genjuro Shoten(→p. 079)
📍Achi 2-23-10, Kurashiki, Okayama

16 **倉敷国際ホテル**(→p. 079)
📍岡山県倉敷市中央1-1-44 ☎086-422-5141
ℹ 1泊2食付き1名 15,000円〜(2名利用時)
Kurashiki Kokusai Hotel(→p. 079)
📍Chuo 1-1-44, Kurashiki, Okayama

17 **倉敷民藝館**(→p. 079)
📍岡山県倉敷市中央1-4-11 ☎086-422-1637
🕒9:00–17:00 月曜休
Kurashiki Museum of Folkcraft(→p. 079)
📍Chuo 1-4-11, Kurashiki, Okayama

18 **テオリ**(→p. 080)
📍岡山県倉敷市真備町服部1807
☎086-698-4526 🕒9:00–17:00
Teori(→p. 078)
📍Hattori 1807, Mabi-cho, Kurashiki, Okayama

19 **東山ビル/HYM Hostel**(→p. 080)
📍岡山県玉野市宇野1-7-3
ℹ 1泊1名 5,500円〜
HIGASHIYAMA BLDG. / HYM Hostel(→p. 078)
📍Uno 1-7-3, Tamano, Okayama

20 **WOMB BROCANTE 児島本店**(→p. 081)
📍岡山県倉敷市児島味野1-10-19
☎086-474-0685 🕒11:00–18:00
月〜木曜休(金曜は14:00–)
WOMB BROCANTE Kojima Main Store
(→p. 081)
📍Kojima-ajino 1-10-19, Kurashiki, Okayama

21 **IDEA R LAB**(→p. 081)
📍岡山県倉敷市玉島中央町3-4-5
☎086-486-2320 ℹ www.idea-r-lab.jp
IDEA R LAB(→p. 080)
📍Chuo-cho 3-4-5, Tamashima, Kurashiki, Okayama

22 **高梁市成羽美術館**(→p. 083)
📍岡山県高梁市成羽町下原1068-3
☎0866-42-4455 🕒9:30–17:00(入館は16:30まで)
月曜休(祝日の場合は翌日休)
Takahashi Nariwa Museum (→p. 080)
📍Shimohara 1068-3, Nariwa-cho, Takahashi, Okayama

旅館くらしき(→p. 052)
⚲ 岡山県倉敷市本町4-1
☎086-422-0730
🅘1泊2食付き1名 36,800円～(2名利用時)
JR山陽本線 倉敷駅から徒歩約15分
Ryokan Kurashiki(→p. 053)
⚲ Honmachi 4-1, Kurashiki, Okayama
◷One night with two meals (per person): from 36,800 yen (when two guests in one room)
🅘15 minuets on foot from Kurashiki Station on JR Sanyo Main Line

滔々(→p. 054)
⚲ 岡山県倉敷市中央1-6-8
☎086-422-7406
🅘町家の宿(1泊2名 39,600円～)
二階の宿(1泊2名 29,700円～)
JR山陽本線 倉敷駅から徒歩約15分
toutou Kurashiki gallery and stay(→p. 055)
⚲ Chuo 1-6-8, Kurashiki, Okayama
◷One night (per person): Townhouse, from 39,600 yen / Second floor, from 29,700 yen (when two guests in one room)
🅘15 minuets on foot from Kurashiki Station on JR Sanyo Main Line

名泉鍵湯 奥津荘(→p. 056)
⚲ 岡山県苫田郡鏡野町奥津48
☎0868-52-0021
🅘1泊2食付き1名
和室26,400円～(2名利用時)
洋室25,300円～(2名利用時)
中国自動車道 院庄ICから車で約25分
Meisen Kagiyu Okutsuso(→p. 057)
⚲ Okutsu 48, Kagamino-cho, Tomata-gun, Okayama
◷One night with two meals (per person): Japanese room, from 26,400 yen / Western room, from 25,300yen, (when two guests in one room)
🅘25 minuets by car from the Innosho Exit on Chugoku Expressway

町家ステイ吹屋 千枚(→p. 058)
⚲ 岡山県高梁市成羽町吹屋398
☎0866-29-3050
🅘1泊1名 食事なし 14,000円～
(2名利用時、定員7名)
JR伯備線 備中高梁駅から車で40分
Machiya Stay Fukiya Senmai(→p. 059)
⚲ Nariwacho-fukiya 398, Takahashi, Okayama
◷One night (per person): from 14,000 yen (when two guests stay; 7 guest max. capacity)
🅘40 minuets by car from Bitchu-Takahashi Station on JR Hakubi Line

エーゼロ／西粟倉・森の学校
牧大介(→p. 060, 120)
⚲ 岡山県英田郡西粟倉村影石895
(旧影石小学校内)
☎0868-75-3058
🅘鳥取自動車道 西粟倉ICから車で約3分
Daisuke Maki(**A Zero / Nishiawakura Mori no Gakko**)(→p. 061, 120)
⚲ Kageishi 895, Nishiawakura-son, Aida-gun, Okayama (former Kageishi Elementary School bldg.)
🅘3 minuets by car from the Nishiawakura Exit on Tottori Expressway

EVERY DENIM　山脇耀平・島田舜介
(→p. 062, 142)
⚲ 岡山県倉敷市児島唐琴町1421-26(DENIM HOSTEL float)
☎086-477-7620
◷11:30–18:00　火曜休
🅘瀬戸中央自動車道 児島ICから車で約20分
Yohei Yamawaki, Shunsuke Shimada(**EVERY DENIM / DENIM HOSTEL float**)(→p. 063, 140)
⚲ DENIM HOSTEL float, Kojima-karakoto-cho 1421-26, Kurashiki, Okayama
🅘20 minuets by car from the Kojima Exit on Seto-Chuo Expressway

外村吉之介(→p. 064)
⚲ 岡山県倉敷市本町4-20(倉敷本染手織研究所)
☎086-422-1541
🅘JR山陽本線 倉敷駅から徒歩約15分
Kichinosuke Tonomura(→p. 065, 140)
⚲ Honmachi 4-20, Kurashiki, Okayama (Kurashiki Dyeing and Hand-weaving Research Center)
🅘15 minuets on foot from Kurashiki Station on JR Sanyo Main Line

石川硝子工藝舎　石川昌浩(→p. 066, 140)
🅘www.facebook.com/ishikawagarasukougeisya/
Masahiro Ishikawa(**Ishikawa Glass Kogeisha**)
(→p. 067, 140)

d MARK REVIEW OKAYAMA INFORMATION

1

大原美術館(→p. 024)
- 岡山県倉敷市中央1-1-15
- 086-422-0005
- 9:00–17:00(入館は16:30まで)
  月曜休(祝日の場合は開館)、年末休
- JR山陽本線 倉敷駅から徒歩約15分

Ohara Museum of Art(→p. 025)
- Chuo 1-1-15, Kurashiki, Okayama
- 9:00–17:00 (Entry until 16:30), Closed on Mondays (Open if national holidays), Closed year-end holidays
- 15 minutes on foot from Kurashiki Station on JR Sanyo Main Line

2

犬島精錬所美術館(→p. 026)
- 岡山県岡山市東区犬島327-4
- 086-947-1112
- 9:00–16:30(入館は16:00まで)
  火曜休(祝日の場合は翌日休。メンテナンス休館あり、公式ホームページ要確認)
- 宝伝港から船で約10分
  犬島チケットセンターから徒歩約5分

Inujima Seirensho Art Museum(→p. 027)
- Inujima 327-4, Higashi-ku, Okayama, Okayama
- 9:00–16:30 (Entry until 16:00), Closed on Tuesdays (If Monday is national holidays, open on Tuesday. but closed the following Wednesday.), Closed on Tuesdays –Thursdays from Dec. to Feb.
- 10 minuets by boat from Hoden Port, then 5 minuets on foot from Inujima ticket center

3

旧閑谷学校(→p. 028)
- 岡山県備前市閑谷784
- 0869-67-1436(史跡受付)
- 9:00–17:00　12月29～31日休
- 山陽自動車道 和気ICから車で約5分

Former Shizutani School(→p. 029)
- Shizutani 784, Bizen, Okayama
- 9:00–17:00, Closed on December 29–31
- 5 minuets by car from the Wake Exit on Sanyo Expressway

毎来寺(→p. 030)
- 岡山県真庭市目木1001
- 0867-42-0932
- 9:00–17:00　無休(要予約)
- 米子自動車道 久世ICから車で約5分

Mairai-ji(→p. 031)
- Meki 1001, Maniwa, Okayama
- 9:00–17:00, Open all year (Reservation required.)
- 5 minuets by car from the Kuse Exit on Yonago Expressway

MUNCH'S Pizzeria(→p. 032)
- 岡山県瀬戸内市牛窓町牛窓4390-1
- 090-3881-7425
- 11:00–20:00　火～金曜休、他不定休
- 岡山ブルーライン 邑久ICから車で約10分

MUNCH'S Pizzeria(→p. 033)
- ushimado 4390-1, Ushimado-cho, Setouchi, Okayama
- 11:00–20:00, Closed on Tuesdays –Friday, and irregular business holidays
- 10 minuets by car from the Oku Exit on Okayama Blue Line

蒜山耕藝 くど(→p. 034, 140)
- 岡山県真庭市蒜山下和1418-2
- 0867-45-7145
- ランチ 11:30–14:00
  カフェ 14:00–17:00(L.O. 16:00)火～土曜休
- 米子自動車道 湯原ICから車で約25分

Hiruzen Kogei Kudo(→p. 035, 140)
- Hiruzen-shitao 1418-2, Maniwa, Okayama
- Lunch: 11:30–14:00
  Cafe: 14:00–17:00 (L.O. 16:00)
  Closed on Tuesdays–Saturdays
- 25 minuets by car from the Yubara Exit on Yonago Expressway

Bricole(→p. 036)
- 岡山県倉敷市中央1-6-8 2F
- 086-425-6611
- ランチ 12:00–14:30 (要予約)ディナー 18:00–22:00(要予約)月曜休、他不定休
- JR山陽本線 倉敷駅から徒歩で約15分

Bricole(→p. 037)
- Chuo 1-6-8 2F, Kurashiki, Okayama
- Lunch: 12:00–14:30 (Reservation required.)
  Dinner: 18:00–22:00 (Reservation required.)
  Closed on Mondays, irregular business holidays
- 15 minuets on foot from Kurashiki Station on JR Sanyo Main Line

くらしのギャラリー 本店(→p. 038, 140)
- 岡山県岡山市北区問屋町11-104
- 086-250-0947
- 11:00–19:00　火曜休
- JR山陽本線 北長瀬駅から徒歩約15分

Kurashi no Gallery Honten(→p. 039, 140)
- Toiya-cho 11-104, Kita-ku, Okayama, Okayama
- 11:00–19:00, Closed on Tuesdays
- 15 minuets on foot from Kitanagase Station on JR Sanyo Main Line

domaine tetta(→p. 040, 140)
- 岡山県新見市哲多町矢戸3136
- 080-3876-7462(café)
- 11:00–16:00　木・金曜休(祝日の場合は営業)、1～2月はランチが冬季休業
- 中国自動車道 新見ICから車で約30分

domaine tetta(→p. 041, 140)
- Yato 3136,Tetta-cho, Niimi, Okayama
- 11:00–16:00, Closed on Thursdays and Fridays (Open if nationall holidays), Closed for lunch in winter (Jan. and Feb.)
- 30 minuets by car from the Niimi Exit on Chugoku Expressway

ようび(→p. 042)
- 岡山県英田郡西粟倉村坂根43
- 0868-75-3223
- ショールーム　10:00–17:00(要予約)
  木曜休
- 鳥取自動車道 西粟倉ICから車で約5分

Youbi(→p. 043)
- Sakane 43, Nishiawakura-son, Aida-gun, Okayama
- Showroom: 10:00–17:00 (Reservation required.), Closed on Thursday
- 5 minuets by car from the Nishiawakura Exit on Tottori Expressway

belk(→p. 044)
- 岡山県倉敷市児島唐琴町7
  王子が岳パークセンター
- 10:00–18:00　無休
- 瀬戸中央自動車道 児島ICから車で約25分

belk(→p. 045)
- Ojigatake Park Center, 7 Kojima-karakoto-cho, Kurashiki, Okayama
- 10:00–18:00, Open all year
- 25 minuets by car from the Kojima Exit on Seto-Chuo Expressway

マルゴデリ 田町店(→p. 046)
- 岡山県岡山市北区田町1-1-11
- 086-235-3532
- 11:00–20:00　第1火曜休
- JR山陽本線 岡山駅から徒歩約10分

Marugo Deli Tamachi Shop(→p. 047)
- Tamachi 1-1-11, Kita-ku, Okayama, Okayama
- 11:00–20:00, Closed 1st Tuesdays of the month
- 10 minuets on foot from Okayama Station on JR Sanyo Main Line

13

三村珈琲店(→p. 048, 140)
- 岡山県井原市芳井町下鴫2538-2
- 0866-74-0012
- 10:00–18:00　月・火・日曜休
- 井原鉄道井原線 井原駅から車で約25分

Mimura Coffee(→p. 049, 140)
- Shimoshigi 2538-2, Yoshiicho, Ibara, Okayama
- 10:00–18:00, Closed on Mondays, Tuesdays and Sundays
- 25 minuets by car from Ibara Station on Ibara Railway Company Ibara Line

ルーラルカプリ農場(→p. 050)
- 岡山県岡山市東区草ヶ部1346-1
- 086-297-5864
- 10:00–17:00　不定休
- JR山陽本線 上道駅からタクシーで約5分

Rural Caprine Farm(→p. 051)
- Kusakabe 1346-1, Higashi-ku, Okayama, Okayama
- 10:00–17:00, Irregular business holidays
- 5 minuets by taxi from Joto Station on JR Sanyo Main Line

菅沼 祥平 Shohei Suganuma
d47 design travel store
岡山の奇祭「西大寺会陽（はだか祭り）」、いつか参加したい。

杉山 知子 Tomoko Sugiyama
神保真珠商店 店長
びわ湖の真珠を全国のみなさまにお届けしたい。

須浪 隆貴 Ryuki Sunami
農業
ポケモンとドラえもんの次くらいに岡山がすきです。

妹尾 悠平 Yuhei Senoo
koti brewery 代表
昔の人の知恵（故知）から未開の地（胡地）を切り拓くビール造り

高木 崇雄 Takao Takaki
工藝風向 店主
先日石川君と行った倉敷「野の」さん、素敵でした！

高原 陽平 Yohei Takahara
高原 隆平 Ryuhei Takahara
醸造元 名刀味噌本舗 三代目
自然を慈しみまごころを込めて醸造しています。

武田 健太 Kenta Takeda
旅するように暮らす日常の和歌山 Wakayama Days
和歌山のラブラックカフェ。とても気がいい場所です。

タナカ カンジ Kanji Tanaka
SlowCoffee 執行役員
岡山に移住してきて6年、オカヤーマン！！

田中 雄一郎 Yuichiro Tanaka
グラフィックデザイナー／ブランディングディレクター
デザインで岡山を美しく。一つ一つの小さなデザインが景観、街を創っています。

辻井希文 Kifumi Tsujii
ふつうのイラストレーター
奈良出身。ふつうの絵を描かせて頂いております。

土屋 裕一 Yuichi Tsuchiya
やまのは店長
伊香保で土産物と本の素敵な関係を模索中です。

てづか なるみ Narumi Tezuka
やきものライター
備前焼は最も自然に近いやきものです。

寺園 証太 Shota Terazono
寺園 ゆう Yu Terazono
GUMBO CERAMICS
備前焼をつくっています。岡山へお越しの際は牛窓へもぜひどうぞ。

堂本 由美 Yumi Domoto
デザイナー
地元の魅力を再発見する体験ができました

轟 久志 Hisashi Todoroki
株式会社トドロキデザイン
岡山といえば酒米「雄町」。漆器で飲みたいです。

友光 だんご Dango Tomomitsu
編集者・ライター
ペンネームの由来は「きびだんご」です。

中井 彩子 Ayako Nakai
D&DEPARTMENT HOKKAIDO
北海道に魅了され移住。薪割りの素質があるらしい。

中里 景一 Keiichi Nakazato
ダイアテック BRUNO 担当
岡山へ行くといつも、ももチャリ借りてまわった思い出が！

那須野 由華 Yuka Nasuno
D&DEPARTMENT KYOTO 店長
桜の季節もすきですが、新緑も同じくらいすきです。

根木 慶太郎 Keitaro Neki
451ブックス 店長
車（VAN）で移動する「旅する本屋」を準備中〜。

原 かなた Kanata Hara
会社員
福岡の皆様お久しぶりです！またどこかで会いましょう。

原田 將裕 Masahiro Harada
茅ヶ崎市役所
絶やしてはならない、まちの大切なものを守りたい。

原田 恵 Megumi Harada
OMUSUBI 不動産
「おこめをつくる不動産屋」です。

日野 藍 Ai Hino
公務員・デザイナー
ごかくは「五つの隠し味」の略。愛媛案内するけんね！

廣安 ゆきみ Yukimi Hiroyasu
READYFOR キュレーター
祝！クラウドファンディングで支える初のトラベル誌

古岡 大岳 Hirotake Furuoka
豆岳珈琲／焙煎など担当
4月に新メンバーが加入。店の守り神的な存在です。

本多 尚諒 Naoaki Honda
株式会社テンナイン・コミュニケーション
岡山号を携えて旅行に行きたいです！

松井 知子 Tomoko Matsui
ギャラリー List:
東そのぎの玉緑茶は日本一美味しいお茶です。

松崎 紀子 Noriko Matsuzaki
DESIGN CLIPS 代表
岡山の美味しいフルーツを味わう旅に出たいです。

丸川 達也 Tatsuya Marukawa
WIPE 代表
美しくて心地よいデザインを心がけています。

光畑 隆治 Takaharu Mitsuhata
魚春 5代目店主
美味しかった感動は忘れない。記憶に残る"美味しい"を代々伝えてます。

宮城 杉乃 Sugino Miyagi
d47 食堂
豊かさとは、について考えさせられた岡山旅。

村田 英恵 Hanae Murata
D&DESIGN
馬喰町での新生活がはじまります。

山口 祐史 Yuji Yamaguchi
アートディレクター・デザイナー
山も海もある。多くは求めず心も晴れている人がいる。

山﨑 悠次 Yuji Yamazaki
写真家
yujiyamazaki.com

やました かなよ Kanayo Yamashita
いりこのやまくに
うどん県の西の端で毎日いりこと向き合っています。

山下 由希子 Yukiko Yamashita
D&DEPARTMENT SAITAMA 店長
岡山らしさを埼玉から発信します！

山田 藤雄 Fujio Yamada
TT" a Little Knowledge Store
MAISONETTE inc. 珈琲とお酒の人。

山脇 耀平 Yohei Yamawaki
EVERY DENIM 共同代表
本誌と共に岡山の産業文化を盛り上げていきましょう！

CONTRIBUTORS

相馬 夕輝 Yuki Aima
D&DEPARTMENT PROJECT
ヒッピーたちのニュースタンダード
岡山にあり

浅井 麻美 Asami Asai
ココホレジャパン
瀬戸内海の島でイチオシは犬島です。
瀬戸芸もぜひ。

安藤 騎虎 Kiko Ando
鳴瀧窯 -narutaki-
備前焼は風土の力を凝縮した器です。

石上 梨影子 Rieko Ishigami
倉敷本染手織研究所
「健康で、無駄がなく、親切で、
威張らない」機織り。

石川 昌浩 Masahiro Ishikawa
石川硝子工藝舎 吹硝子工
どうせなら、楽しまんと、
もったいないが。

石嶋 康伸 Yasunobu Ishijima
ナガメルトモ・管理人
大阪にdを再び！

稲村 香菜 Kana Inamura
dたべる研究所
土鍋で失敗なくお米が
炊けるようになってきました。

井上 望 Nozomi Inoue
YUTTE コピーライター
YUTTEのお店番しながら
コピー書いてます。

岩井 巽 Tatsumi Iwai
東北スタンダードマーケット
宮城県仙台市にて、暮らしを
あたたかくする、東北生まれの品々を
販売しています。

岩滝 理恵 Rie Iwataki
D&DEPARTMENT TOYAMA
ショップスタッフ
入社してすぐ自分の好きな富山の場所が
紹介できて嬉しいです。

衛藤 武智 Takenori Eto
日本語校閲担当
百閒・淳之介・白鳥（落語家に非ず）…
文学も薫る岡山

大岸 聡武 Satomu Oogishi
（株）大手饅頭伊部屋 常務取締役
天保八年（1837年）創業から変わらない
伝統の味「大手まんぢゅう」

大倉 剛生 Takeo Okura
備前福岡一文字うどん 代表取締役
地域の日常に溶け込める
うどん屋でありたいです。

大下 健一 Kenichi Oshita
JOKI COFFEE
岡山は小学校時代を過ごした
第二の故郷です。

大浪 優紀 Yuki Onami
olto
人とモノの良い関係性作りを
しています。

岡竹 義弘 Yoshihiro Okatake
d47食堂
ふるさと、岡山の定食ができました。
感謝です。

岡本 方和 Masakazu Okamoto
moderado music 流しのCD屋
音楽土壌の良い岡山から、世界の
音楽を届け（流し）ています。

奥山 太貴 Taiki Okuyama
デザイナー／奥山いちご農園
文化と農業の端境を考えます。

小澤 健太 Kenta Ozawa
D&DEPARTMENT 商品担当
岡山のものづくりを見に、
いつか旅にいきたいです。

乙倉 慎司 Shinji Otokura
デザイナー＋アイス屋
デザインとアイスを通じて、
地元岡山に恩返しを。

北島 琢也 Takuya Kitajima
KAMP ディレクター
おかやまに来たら、市内最後の
下町"奉還町"へぜひ！

北室 淳子 Junko Kitamuro
半田手延べ素麺「北室白扇」
四国徳島でおいしいお素麺を
つくっています。

木村 肇 Hajime Kimura
備前焼窯元 一陽窯
是非、岡山に備前焼の
里伊部（いんべ）にお越しください。

熊谷 太郎 Taro Kumagai
La Jomon 代表
清酒酵母のLaJomon ビール
発酵中です。

黒江 美穂 Miho Kuroe
d47 MUSEUM
岡山のものづくりを学びたい。

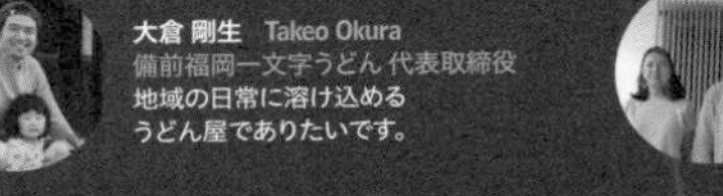

黒木 裕行 Hiroyuki Kuroki
小野 文子 Fumiko Ono
株式会社ルーフスケイプ
赤の集落『吹屋』に通い始めて早5年、
いつも新鮮！

古賀 義孝 Yoshitaka Koga
光画デザイン 代表
デザインで、世の中を明るくできると
信じています。

小菅 庸喜 Nobuyuki Kosuge
archipelago 店主
蒜山がま細工の職人とはお手紙で
やり取りしています。

児玉 佳奈美 Kanami Kodama
アカオニ／デザイナー
土地のことを知り、愉快な想像を
していきたいです。

坂本大三郎 Daizaburo Sakamoto
山伏
どれだけ暑くなるんでしょうね？

坂本 大祐 Daisuke Sakamoto
合同会社オフィスキャンプ
奈良県東吉野村でコワーキングスペース
を運営中。

﨑山 智華 Tomoka Sakiyama
D&DEPARTMENT KAGOSHIMA
by MARUYA ／店長
鹿児島の美しい自然を巡りたいです。

作元 大輔 Daisuke Sakumoto
cifaka 代表
鹿児島生まれ。岡山でデザインとか
色々やってます。

佐藤 千花 Chika Sato
ceramic art accessory 千花
宮崎の神話や自然をテーマに
制作活動をしています。

佐野 邦彦 Kunihiko Sano
会社員
ピアス、リング購入予定！

澤浦 千秋 Chiaki Sawaura
d47 design travel store
数ある方言のなかでも岡山弁が
大好きです。

澤田 央 Hiro Sawada
つたえ手
青森県弘前市へ移住。青森の暮らしを
楽しんでいます。

重松 久惠 Hisae Shigematsu
D&DEPARTMENT PROJECT
コーディネーター
この取材旅行で新しい目標が
みつかりました。

島田 舜介 Shunsuke Shimada
EVERY DENIM 共同代表
繊維産業から岡山を、より豊かな
暮らしが続く街に！

萩原将之／山田藤雄／小田寛一郎／魚彩和みの宿 三水／とつゆうた／ sskb ／コバヤシミナコ／吉野なこ／望月孝博／さき／雑司が谷 十音
ふわっと＊させぼのひと／ビバ！ドインズ／招き猫美術館／光山一樹／こっこ／タケイ・リエ／山本達也／山田知幸／とどろき酒店／のぶりん／鈴木稔
寺園証太（GUMBO CERAMICS）／連理瑞和子／陶山圭二／ dohaland ／北室淳子／カナコ０／スロウな本屋／袖川章治／伊藤尚哉／五十崎社中
加藤彩／すする／生活藝人 田中佑典／宮脇慎太郎／ Naoto Kawanishi ／江原明香／得丸成人／芦川能純／井伊友博／前沢泰史／やましたかなよ
寺澤由樹／北川智博／ローカルオプティカル／ gaina ／鈴木正人／村上瞳／中尾知尋／菅真智子／マツオマナ／村木諭／豊福範章／山崎義樹
ラーハ・ゲストハウス／ Mayumi Isoyama ／川北康伸／シンスケ 矢部直治／コシジダイスケ／ゆかまま／丹羽ふとん店／熊谷雅子／たけむらひろこ
素敵やんしものせき／遠藤直人／ Ai Hino ／川勝節子／ kj ／小田アキヨシ／ toshiii ／乙倉慎司／ JOKI COFFEE 大下健一／トサマ キワヤミ／谷川明弘
八重田和志／渡邉美紀／佐久間祥子／臼田辰也／しがらき顕三陶芸倶楽部／山崎茜／弓桁紀彦／森本彩夏／ササムライクコ／倉敷ストーブ店
荻田昌義／岩竹香織／村井友紀／とつゆうた／おかもとあさみ／温泉旅館どうごや／タマイアツシ／古屋和美／なっちゃん／加利部恭正／にゃご
SEIKI DESIGN STUDIO ／梅﨑泰佳／真砂喜之助製麺所／ Miyoko ／永見三智子／武田あみ／岡部淳也／河北咲良／もえか／花島脩一朗／水谷美保
おかやま生まれ／宮嵜菜生／米田周平／木村真理子／西怜香／鯉淵正行／池田湧樹／渡辺悠貴／岡浩一朗／銭上愛子／赤田竜一／中田喜之
yumiyo ／藤原諒太／ながれお／依田香南／ h.ikeda ／窪田千莉／佐藤千晴／ NAOMI KAKIUCHI ／ナカオリエ／やまもとちか／どーも／百瑛
ベーカリールーブル／長崎雅代／ iori products 越智／美樹／ Misaki Suzuki ／櫻田美穂／渡辺智史／ y.myk ／加藤勉／しおつみゆき／ひろ mix
西村祐子／荒川健悟・彰悟／藤塚亮太／小林信治／槇野結／ Ryo Takami ／伏見 遼平／コバヤシナオキ／バルンバルンの森／俊輔 & 安由美 & 皆那美
水流一水／ pmpm21 ／ Mizue Yoshida ／住田勝／丸山昌幸／ A labo 谷尾暁子／小林温美／ AIR ROOM PRODUCTS ／ぎすじみち／ nakazawa masami
廣安ゆきみ／黒住宗芳／ことこと／ますだ家／ awa ／ HIROAKI SAKAI ／ tadomayu ／手塚路子／ Junko ／アタカケンタロウ／橋本太郎／中山正明
監物正樹／佐々木康弘／中馬剛仁／小山千春／藤本羊／吉澤久美子／グローカル名古屋バックパッカーズホステル & Glocal Cafe ／宮本浩司
コウヤノマンネングサ／大坪美佐子／しゃかいか！加藤洋／ regraviti ／中田卓志／石田尚昭／榎奥尚人／オリーブ1300 ／小野寺大輔／草加和輝
糸山なおみ／ dkagoshima ／タケシマレイコ／ air_yoko ／橋本えりか／ Shoko Kameoka ／ Yanagiyakaroku ／野上彩／ Inutaku ／大澤英美／時田隆佑
クミハシシンタロウ／新波堂　植松史朗／難波早織／夏海／国井純（ひたちなか市役所）／あるがみきひろ／ KIKEUCHI ／崎山智華／武智まりか
季節料理かたやま／ FunkyMonkey ／テンちゃん／中村麻佑／大治将典／ UDON TAXI ／福富大介／石嶋智絵・康伸／ TSUNE ZUNE ／ OIGEN Kuniko
ALUHI.KAGOSHIMA ／エーアイラボオオタ／ d ファン（サッカー小僧）／原田崇／ Marc Mailhot ／ 51% ／干しいも工房 しんあい農園／藤原稔朗
305 ／ CAPIME coffee 亀谷／ yoshio.tam ／丸井栄二／ごん／ SAYSFARM ／三代吉彦／ぞえち@副業アドバイザー／のん／ saredo - されど - ／高柳
grass-B ／じろう／永末武寛／澤田央／飯野圭子／林康代／クロちゃん／田口雅教／三上茜／富田貴美／くるくるパーマ／中西正哉／藤森勇也
藤井一雅／みつ／山田遼平／牧野有／カラポネヤミ書房 工藤／株式会社ワンバイワンクリエイト 芳賀宣文／こまこ／ふるかわ／加藤めぐみ
小菅庸喜／五味仁／そば処 三百坊／ kenzai_noote ／相田尚美／オサフネユウキ／石田信也／ tortehair 足立美羽／玉置明日夫／ U.M. ／ yuzuha
Kenny ／角田秀夫／カニヤネウラ 大森彩子／ Daisuke.Y ／國松勇斗・素子／まつばらひとみ／あわくら温泉 元湯／小林ゆきこ／ akoijust ／ Joe
田中悟・智子／ satomi koyanagi ／森田瑞樹／高山智和／渡辺美和／篠田靖世／上原朋真／ hgw ／ sobadaijin ／中村亮太／ヒロパー／伊藤丈浩
ゲン／クラタヒロキ／ wineshop&stand slowcave ／ケンブリッジの森／国語未来塾／吹屋ふるさと村 陶芸館／近藤正規／坂本章太／ぽてとさらだ
大須 DECO　by SHIOGAMA APRTMENT STYLE ／松崎紀子／川瀬恭平／ yukai ／金城奈々恵／ 787B ／安藤信孝／つるかわゆうき。／片岡誠治
山下大輔／ KAM ／佐藤大輔／西上宏史／ワタナベアニ／ナカムラシュンスケ／宮坂詩織／須内葉太郎／栃木県のはいじ／ Samba2001 ／妹尾龍都
morikacelica ／佐藤希／船戸美和／みんなのダンボールマン／しんしん／飯岡達／石田智章／ yamaryotknm ／田崎雅子／大元健二／小牧美久
八木章徳／内田喜基／香川弘樹／田村耕治／佐藤公紀／深津裕美子／みやまはるか／長瀞オートキャンプ場／村川信佐／蜂谷潔／みっちょす
西村優美／友員里枝子／吉田治代／ベスヒョン／ Satomu Ohgishi ／佐々木一泰／ Naoto ／内田節子／眞田和義／西堀潤／菅野大門／平田英之
島崎ふみ子／三谷朗裕／葛原久子／松原龍之／ more fruits 橘将太／武鑓美香／犬養拓／尾田高章／山口祐史／戸井健吾／藤原夢美／猪田有弥
sail 中村圭吾／まつおかみきこ／春名久美子／ laboratory panacea sumachan ／マキさん／小濱慶太／エグサマリ／クニミユキ／ good humor
原田將裕／奥山太貴／志水陽子／小松雅人／おがわあゆみ／ a.comiya ／高塚正広／森居真悟／はなだたかこ（ミサワ総研）／岩村僚太／妹尾龍都
下園正博／坂本正文／後藤国弘／ YUKA ADACHI ／ Jeremy Hunter & Tomo Ogino ／阿部加代子／加賀崎勝弘（PUBLICDINER）／竹内葉子／ひこすけ
友光だんご／瀬戸本業窯／株式会社櫻井印刷所／ tosiyada ／永沼有里／比奈カフェ・比奈家具／ヤッキー辛メーター／大木貴之／ EVERY DENIM
志ば久 久保統／坂本大祐／熊谷太郎／ TORASARU ／佳子／ FUTAGAMI ／柳家花緑／的場弘志／鷲見栄児／ココホレジャパン／奥山いちご農園
Ristrante & Mercato QUINDI　quindi-tokyo.net ／滔々 toutou, Kurashiki gallery and stay ／穏やかな人と気候が育んだ瀬戸内海の味付海苔 じろうや
近代芸術の礎 児島虎次郎の眠るお寺 備中成羽 最上稲荷 松王山 本光寺／泊 Rutto ／せい／平原理沙子（順不同）

SUPPORTERS of CROWD FUNDING

「岡山号」の制作費の一部は、クラウドファンディングにて募集しました。ご支援いただいた皆さん、ありがとうございました。

OTHER ISSUES IN PRINT

1. 北海道 HOKKAIDO	2. 鹿児島 KAGOSHIMA	3. 大阪 OSAKA	4. 長野 NAGANO	5. 静岡 SHIZUOKA	6. 栃木 TOCHIGI	7. 山梨 YAMANASHI
8. 東京 TOKYO	9. 山口 YAMAGUCHI	10. 沖縄 OKINAWA	11. 富山 TOYAMA	12. 佐賀 SAGA	13. 福岡 FUKUOKA	14. 山形 YAMAGATA
15. 大分 OITA	16. 京都 KYOTO	17. 滋賀 SHIGA	18. 岐阜 GIFU	19. 愛知 AICHI	20. 奈良 NARA	21. 埼玉 SAITAMA
22. 群馬 GUNMA	23. 千葉 CHIBA	24. 岩手 IWATE	25. 高知 KOCHI	26. 香川 KAGAWA	27. 愛媛 EHIME	

HOW TO BUY

「d design travel」シリーズのご購入には、下記の方法があります。

店頭で購入

・D&DEPARTMENT 各店（店舗情報 P.179）
・お近くの書店（全国の主要書店にて取り扱い中。在庫がない場合は、書店に取り寄せをご依頼いただけます）

ネットショップで購入

・D&DEPARTMENT ネットショップ d-department.com
・Amazon amazon.co.jp
・富士山マガジンサービス（定期購読、1冊購入ともに可能） www.fujisan.co.jp

＊書店以外に、全国のインテリアショップ、ライフスタイルショップ、ミュージアムショップでもお取り扱いがあります。

前田次郎 Jiro Maeda
d design travel 編集部。東京都出身。現地の編集長を東京オフィスからサポートする、縁の下の力持ち。

移住者の多い岡山だから、転校生にはまずこの本を。一家に一冊、地元のみんなに読んでほしい本です。作り手と伝え手が、信頼し合ってそれぞれ仕事を全うする姿に、大原美術館の歴史を重ね、この土地の強さを感じました。初のクラファンで制作が叶った本誌、それが岡山でよかった!

有賀みずき Mizuki Aruga
d design travel 編集部。埼玉県生まれ、南米育ち。d47、d 東京店スタッフを経て編集部に着任。

着任早々、ウイルスの世界的大流行による荒波にもまれながらの制作。リモート編集会議から始まり、WEBと書籍での長いリサーチ期間、岡山の方へのオンライン取材……現地の皆様に支えられ、無事にお届け出来ることに感謝!フルーツがたくさん獲れる時期に、長期滞在しに行きます。

渡邉壽枝 Hisae Watanabe
d design travel 編集部。埼玉県出身。47 REASON TO TRAVEL IN JAPANや、細々したところをフォロー。

初めてのトラベル誌。壮絶な制作現場に面食らいながら、現地から送られてくる食事の写真を見る度にお腹が空いた2か月。学生時代、青春18切符を握りしめ電車に揺られ訪れた岡山。あの頃は気づかなかった"岡山らしさ"と"岡山の食"を体感しに、本と一緒に再び訪れたい。

発行人 / Founder
ナガオカケンメイ Kenmei Nagaoka (D&DEPARTMENT PROJECT)

編集長 / Editor-in-Chief
神藤 秀人 Hideto Shindo (D&DEPARTMENT PROJECT)

編集 / Editors
前田 次郎 Jiro Maeda (D&DEPARTMENT PROJECT)
有賀 みずき Mizuki Aruga (D&DEPARTMENT PROJECT)
渡邉 壽枝 Hisae Watanabe (D&DEPARTMENT PROJECT)
松崎 紀子 Noriko Matsuzaki (design clips)

執筆 / Writers
高木 崇雄 Takao Takaki (Foucault)
坂本 大三郎 Daizaburo Sakamoto
重松 久惠 Hisae Shigematsu (D&DEPARTMENT PROJECT)
相馬 夕輝 Yuki Aima (D&DEPARTMENT PROJECT)
乙倉 慎司 Shinji Otokura (SENNICHI DESIGN ASSOCIATION)
根木 慶太郎 Keitaro Neki (451BOOKS)
岡本 方和 Masakazu Okamoto (moderado music)
深澤 直人 Naoto Fukasawa

デザイン / Designers
加瀬 千寛 Chihiro Kase (D&DESIGN)
高橋 恵子 Keiko Takahashi (D&DESIGN)
村田 英恵 Hanae Murata (D&DESIGN)

撮影 / Photograph
山﨑 悠次 Yuji Yamazaki

イラスト / Illustrators
辻井 希文 Kifumi Tsujii
坂本 大三郎 Daizaburo Sakamoto

日本語校閲 / Copyediting
衛藤 武智 Takenori Eto

翻訳・校正 / Translation & Copyediting
松本 匡史 Masafumi Matsumoto (Ten Nine Communications, Inc.)
本多 尚諒 Naoaki Honda (Ten Nine Communications, Inc.)
ホリー・ブラッドショー Holly Bradshaw (Ten Nine Communications, Inc.)
真木 鳩陸 Patrick Mackey
ニコル・リム Nicole Lim
賀来 素子 Motoko Kaku
ジョン・バイントン John Byington

制作サポート / Production Support
ユニオンマップ Union Map
佐々木 晃子 Akiko Sasaki (D&DEPARTMENT PROJECT)
岡竹 義弘 Yoshihiro Okatake (d47 SHOKUDO)
d47 design travel store
d47 MUSEUM
d47 食堂 d47 SHOKUDO
D&DEPARTMENT HOKKAIDO by 3KG
D&DEPARTMENT SAITAMA by PUBLIC DINER
D&DEPARTMENT TOKYO
D&DEPARTMENT TOYAMA
D&DEPARTMENT KYOTO
D&DEPARTMENT KAGOSHIMA by MARUYA
D&DEPARTMENT OKINAWA by OKINAWA STANDARD
D&DEPARTMENT SEOUL by MILLIMETER MILLIGRAM
D&DEPARTMENT JEJU by ARARIO
D&DEPARTMENT HUANGSHAN by Bishan Crafts Cooperatives
Drawing and Manual

広報 / Public Relations
松添 みつこ Mitsuko Matsuzoe (D&DEPARTMENT PROJECT)
清水 睦 Mutsumi Shimizu (D&DEPARTMENT PROJECT)

販売営業 / Publication Sales
田邊 直子 Naoko Tanabe (D&DEPARTMENT PROJECT)
芝生 かおり Kaori Shibo (D&DEPARTMENT PROJECT)
高木 夏希 Natsuki Takagi (D&DEPARTMENT PROJECT)
西川 恵美 Megumi Nishikawa (D&DEPARTMENT PROJECT)

表紙協力 / Cover Cooperation
五味 太郎 Taro Gomi
廣榮堂 Koeido

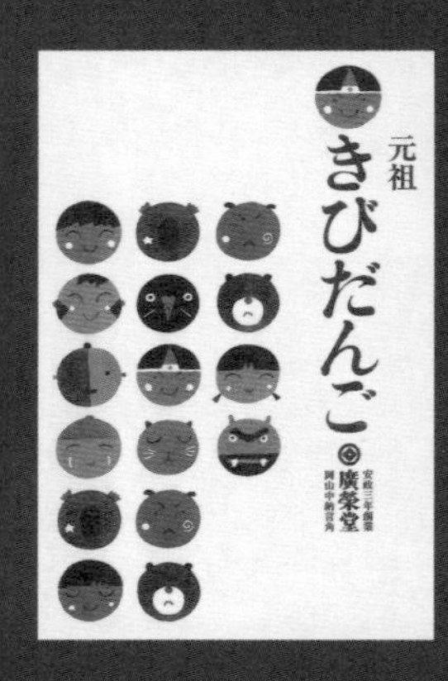

表紙にひとこと

『鬼』　五味太郎
雨が降らない、というだけでこんなにも人は幸せに生きられる。長い夏休みのように、昼は山や川へ、夜は星や蛍を。そんな豊かな生き方をしている岡山の人たちを見て、まるで童話のワンシーンのようにも感じます。今号の表紙は、きびだんごでお馴染みの「廣榮堂」の鬼の絵。岡山には「うらじゃ」という鬼が主役のお祭りもあり、実は桃太郎が"鬼"だったという説も……桃太郎も鬼も、住民も移民も、岡山ではみんなが自由に暮らしているのです。

One Note on the Cover

Oni, Taro Gomi
How wonderful it is when the sun is always shining! Like a long summer holiday, the days filled with exploring and the nights with stargazing, life in Okayama is a scene from a storybook. If you love *kibi-dango*, you may know the *oni* on the cover of this issue. In Okayama there's a festival where an *oni* is the star, and some say that Momotaro himself was an *oni*? But no matter who you are, in Okayama you're free to live as you please.

---

d design travel OKAYAMA
2020年10月30日 初版 第1刷
First printing: October 30, 2020

発行元 / Publisher
D&DEPARTMENT PROJECT
158-0083 東京都世田谷区奥沢8-3-2
Okusawa 8-chome 3-2, Setagaya, Tokyo 158-0083
03-5752-0097
www.d-department.com

印刷 / Printing
株式会社サンエムカラー SunM Color Co., Ltd.

ISBN 978-4-903097-28-2 C0026

Printed in Japan

掲載情報は、2020年6月時点のものとなりますが、
定休日・営業時間・詳細・価格など、変更となる場合があります。
ご利用の際は、事前にご確認ください。
掲載の価格は、特に記載のない限り、すべて税込み(10%)です。
定休日は、年末年始・GW・お盆休みなどを省略している場合があります。
The information provided herein is accurate as of June 2020. Readers are advised to check in advance for any changes in closing days, business hours, prices, and other details.
All prices shown, unless otherwise stated, include tax.
Closing days listed do not include national holidays such as new year's, obon, and the Golden Week.

全国の、お薦めのデザイントラベル情報、本誌の広告や、「47都道府県応援バナー広告」(P. 154〜177のページ下に掲載)についてのお問い合わせは、下記、編集部まで、お願いします。

宛て先
〒158-0083 東京都世田谷区奥沢8-3-2
D&DEPARTMENT PROJECT
「d design travel」編集部宛て
d-travel@d-department.jp

携帯電話からも、D&DEPARTMENTのウェブサイトを、ご覧いただけます。
http://www.d-department.com